Meruro Washida

Curator's Note

2007 - 2020

キュレーターズノート 二〇〇七―二〇二〇

鷲田めるろ

美学出版

Curator's Note 2007-2020
Meruro Washida
Published by Bigaku-Shuppan LLC
Bunkyo-ku, Tokyo, Japan
Website: www.bigaku-shuppan.jp/

Printed in Japan. December 2020
ISBN: 978-4-902078-61-9

Contents

十和田湖［撮影：著者］

キュレーターズノート 二〇〇七―二〇二〇　目次

初出
Webマガジン『artscape』二〇〇七年八月一日号―二〇一〇年三月一日号
（DNP大日本印刷株式会社・発行）URL http://artscape.jp/

キュレーターズノート 二〇〇七—二〇二〇

第五二回ヴェネチア・ビエンナーレ

第五二回ヴェネチア・ビエンナーレは、「感覚で考え、頭で感じよ」をテーマに、初めてのアメリカ人コミッショナーとしてロバート・ストアがキュレーションを行った。複数の資料／写真／テキストの集積で構成される作品が多かったこと、政治的なテーマを扱う作品が多かったこと、第三世界諸国の作家が多かったことが特徴として挙げられる。作品の傾向に起因する白い仮設壁を多用した展示には、会場となっているアルセナーレの古い特徴的な空間を生かしたダイナミックさはなく、美術館での展示のように単調になりがちであった。また、作品選定にポリティカル・コレクトネスが強く作用している印象を受けた。

一方、国別参加の展示では、オランダ館とメキシコ館が印象に残った。オランダは、「市民と国民」というテーマの下、三つの部分から構成されるプロジェクトを企画した。一つはジャルディーニのオランダ館でのアーナウト・ミックの新作インスタレーション展示、もう一つは『市民と国民　オランダの場合』と題される評論集の刊行、そして三つ目が二〇〇七年秋のオランダでの討論会の開催である。この形式は、ビエンナーレへの参加を契機として議論の場を開いた点で評価できる。美術と社会との密接な関係を前提に、アーティストや評論家の対談やインタビューを多く含む書物や討論会を、展示と等価なものとして位置づける姿勢は、今回の企画にも協力しているウィト・デ・ウィスなど、美術を社会的な議論の場に位置づけ継続的に活動してきたアートスペースの精神を反映したものであるが、この形式自体もまた、「市民と国民」というテーマと共に、自国のアーティストの紹介に終始しがちな国別参加の形式に対する批評となっている。

ミックは、独房あるいは病院を思わせるような設備をオランダ館に設置し、その中で三点のビデオ・インスタレーションを展示した。ビデオは、いずれも不法入国など移民をテーマとしたもののようだが、背景は明示されない。何か大事故が起こった時のニュース映像のような断片が続き、見ているうちにそれが訓練の様子やフィクションと混在していることに気づかされる。観客は明確な回答を与えられることなく、問いだけが残り続ける。一見分かりにくいが、じわじわと後から気になって頭から離れなくなる作品である。キュレーターのマリア・ウラヴァヨハおよび、彼女がアーティスティック・ディレクターを務めるユトレヒトのＢＡＫ、そしてウィト・デ・ウィスなど、オランダのネットワークに今後も注目してゆきたい。

メキシコは、リアルト橋近くのパラッツォ・ソランツォ・ファン・アクセルを使って、ラファエル・ロサノ＝ヘメルの展示を行った。インタラクティブなメディア・アートだが、インターフェースが機械的ではなく、親しみを持って楽しめた。例えば《パルス・ルーム》（二〇〇六）と題された作品では、天井からグリッド状にたくさんの裸電球がつり下げられ、点滅している。係の人に案内され、二本の棒を握ると、一旦すべての電球が消灯し、自分の鼓動が入力される。そして、再び電球が点くと、そのうちの一つの電球が鼓動に合わせて点滅する。部屋に入った時から、作品の仕組みを理解し、自分の入力をして、部屋を出て行くまでの流れがたいへん気持ちよい作品であった。

（二〇〇七年八月一日号）

アトリエ・ワン「いきいきプロジェクトin金沢」

金沢21世紀美術館のプロジェクト工房では、開館以来、ヤノベケンジや奈良美智＋grafがそれぞれ半年間の滞在制作を行ってきたが、今年（二〇〇七）は、アトリエ・ワンが四月から九月まで「いきいきプロジェクトin金沢」というプロジェクトを行っている。アトリエ・ワンによる金沢の都市リサーチと、《ファーニ・サイクル》（二〇〇二）や《スクール・ホイール》（二〇〇六）のような「マイクロ・パブリック・スペース」の提案を新たに行うのが主な内容である。都市リサーチの報告として、町家のマップ「アトリエ・ワンと歩く金沢町家・新陳代謝」を八月半ばに刊行するため、現在、プロジェクト工房ではスタッフが日々編集作業に取り組んでいる。

マップでは江戸時代に町家が並んでいたエリアを対象に、今日までどのように建物が新陳代謝してきたかを観察し、その変化のパターンを分類し掲載している。個性的なネーミングによって都市の事象を顕在化させるのは、「メイド・イン・トーキョー」以来アトリエ・ワンの得意とする手法だが、個別の特殊事例ではなくパターンを捉えている点が今回の特徴である。アトリエ・ワンが「環境圧」と呼ぶ、自動車の普及や防火基準の改定という変化要因に対し、個々の町家がどのような対応を見せているかをタイプ別に分類するやり方は、原形をとどめる歴史的な町家のみを伝統的な文化遺産として評価する考え方ではなく、近代以降変化する社会の中で、個々の住人が都市に対してどのように対応したかに着目する。この方法の背景には、建築を担う主体として、行政や企業ではなく、個々の市民こそが今後重要な意味を持つというアトリエ・ワンの考えがある。その結果、例えば、個々の店舗が深いひさしを持ち、それが連続することでアーケードの役割を果たしている竪町商店街の街並みを評価する価値観が生まれてくる。金沢21世紀美術館の開館前から、多くの建築家や美術関係者が金沢を訪れているが、それを「リーゼント町家」と呼ぶ塚本由晴以外に、竪町商店街を建築的に高く評価する人を私は知らない。ぜひ、マップを手に金沢の街を歩いてみていただきたい。

一方、「マイクロ・パブリック・スペース」の提案は、金沢で活動するグループへの取材に基づいている。人々の活動や場所の「流れ」を捉え、形を与えてゆくのが「マイクロ・パブリック・スペース」の考え方であり、それは今回の金沢でのプロジェクトでも変わらないが、グループを対象としている点が今回の特徴と言える。これは、今年、東京のギャラリー・間で開催された個展での「人形劇の家」の方法を引き継ぐもので、軟式野球チームや、映画サークル、将棋クラブやウクレレ部などさまざまなグループの活動を取材、分析し、それぞれのグループに対し提案してゆくものである。現在、学生を中心とするスタッフが各グループを担当し、提案を行っている。八月には提案をさらに具体化させ、館内の展示室での展示や、週末に行っている《スクール・ホイール》を使ったフォーラムを通じてお伝えしてゆきたい。

（二〇〇七年八月一日号）

キム・ドンウォン『送還日記』

北九州国際ビエンナーレ'07の関連上映でキム・ドンウォン監督のドキュメンタリー映画『送還日記』に出会った。この映画は二〇〇三年に制作され、昨年(二〇〇六)、金沢を含めた日本各地で公開されていたらしいのだが、私はこれまでこの映画についてまったく知らなかった。

北朝鮮のスパイが韓国で逮捕され、長期服役のあと出所し、韓国での生活を経て最終的には帰国するまでを撮ったこの映画が今回上映されたのは、朝鮮半島に近い北九州の門司という場所を意識した選択であったようだ。キム監督も出演した上映後のシンポジウムでも、この作品をグローバリゼーションや冷戦という文脈の中で捉えていた。しかし、私にとって興味深かったのは、このドキュメンタリーが転向という問題の複雑さを丁寧に描き出していることであった。そのことによって、特定の政治的、地域的なテーマを超えて、自分よりも圧倒的に力の強い権力に対する行動の仕方という普遍性を獲得しているように思えた。カメラに写っている人たちは、鍛え上げられた戦士というよりは、ごく普通のおじさんたちだ。どうして目の前にいるこの普通の人たちが、あれだけのひどい拷問に耐えて、信念を貫き続けたのか。監督にとっては奇妙とも思われるその信念をどうして持つようになったのか。この疑問に突き動かされるように、監督はカメラを回し続ける。監督の戸惑いが見る者にもよく伝わってくる。

映画を見ながら思い出したのが、オウム真理教を扱った森達也の『A』や『A2』である。このドキュメンタリーにも、地下鉄サリン事件を起こした集団が、一人一人を見ればごく普通の人たちであるという不思議さが現れていた。何かを信じることの異様さと、目の前の人の普通さとのギャップは、自分たちもまた「異様な信念」を無意識のうちに持っているのではないかと不安にさせる。その不安から眼を背けない点で、『送還日記』と『A』は共通する。

また、『送還日記』に登場する人物たちの証言から、冷戦時代、転向の問題がリアリティを持っていたことがあらためて感じられた。その時想起されたのは、遠藤周作の『沈黙』である。転向の複雑さを扱った『沈黙』は一九六六年に刊行されているが、これまで私は、江戸時代を舞台とするこの小説を、それが書かれた冷戦時代と結びつけて考えてはいなかった。だが、この映画を見ながら私は、そのころに転向の問題が切実であったこと、そして、転向を即、悪と捉える見方を考え直そうとしていた時期にあたることを再認識した。この小説で宣教師は、棄教するか、信者が一人ずつ殺されてゆくのを見殺しにするかを迫られる。棄教は悪、信念を貫くことが善という単純な二分法ではなく、複雑な心の揺れと葛藤を描いている。この視点は『送還日記』にも引き継がれている。映画の中で、キム監督は、転向して韓国で暮らす人物にもインタビューを続けている。その人物の話にゆっくりと耳を傾けるカメラの映像から、複雑さに寄り添う監督の姿勢が十分感じ取れる。

今日の日本においては、『沈黙』が書かれた時代のように、思想に対する暴力的な弾圧はリアリティを失っているかもしれない。しかし、森達也が描くように、マスメディアの生み出す大きな世論の流れが、気づかれぬうちに人々の思想を隅々まで統制している。その状況に抗しながら、体制と異なる信念を持つことの困難さに向き合うことが重要であるとするならば、『送還日記』の問いは今日の日本でこそ重要だと言えるだろう。北朝鮮に戻ったスパイが、普通のおじさんから英雄に祭り上げられてしまうことにさびしさを感じさせる監督の目線を大切にしたい。

（二〇〇七年一一月一日号）

アトリエ・ワンと粟津潔

アトリエ・ワン「いきいきプロジェクトin金沢」も終了し、現在は「荒野のグラフィズム 粟津潔」展の準備をしている。展覧会と同時にフィルムアート社より刊行される同名の書籍に、「粟津潔とメタボリズムの思想」と題する文章を書いた。これは、一九六〇年代を中心に、川添登、菊竹清訓などメタボリズム・グループの建築家たちの活動と、同グループのメンバーでもあった粟津潔の作品や思考を比較しながら、彼らのアクチュアリティについて考えようとするものである。文中でアトリエ・ワンに言及してはいないが、執筆にあたって、半年間アトリエ・ワンのプロジェクトを通して考えたことが反映されている。アトリエ・ワンの考えのうち、私が面白いと思ったことを、粟津も考えていたりするのである。

その一つは、アトリエ・ワンが都市の「ざらつき」と呼んだものである。「ざらつき」とは、個々の家が、かつて町家だった細長い敷地割りを共有しながらも、そこに住む各個人によって思い思いに改造されたり、建て替えられたりして、町並みとしては一貫性や統一性に欠ける不揃いの状況を指している。金沢の町並みが、専門家による俯瞰的な都市計画によってではなく、個人によって形づくられているという意味で、アトリエ・ワンは、この「ざらつき」を重視した。一方、粟津は、都市の建築群を流れとして捉え、その流れを一本の線に例えた上で、その線の凹凸が重要であると書いている。両者は同一のことに着目していると私は思う。

もう一つは、リズムの交錯点に着目する視点である。粟津は、都市はさまざまな波のリズムが交錯する場所であり、そのリズムの交錯点に自由が生まれるとしている。その交錯点を捉えることが建築家の重要な役割と粟津は考えているが、アトリエ・ワンもまさに、この交錯点を追い続けてきた建築家であると言えるだろう。「メイド・イン・トーキョー」では、例えば高速道路とデパートが交錯している点に着目していたし、「ペット・アーキテクチャー」では、拡張された計画道路とそれに斜めに交差する既存の道路の間にできた三角の小さな敷地や、川の流れと直線的な道路との間の不定形な敷地などを、そこに建つ異様に小さな建物を通して読み取ろうとしている。金沢の町家調査においても、町家の分析を通じて、都市のリズムの交錯を捉えている。アトリエ・ワンは、街に共有された細かい敷地割りや、町家の型を原型として、各個人が建物を変形させる、その変形の仕方にいくつかのパターンが見られることを指摘し、そのパターンを二四に分類し、それぞれに名前をつけた。このように変形のバリエーションが生まれるのはさまざまな要因（自動車の普及、道路の拡張、火災、法律の改正、建物保存の動きなど）が複雑に絡み合っているためである。こうした都市の異なるリズムが交錯している様子が最もよく現れているのが、金沢の場合、旧町人町のエリアだったわけである。

ガイドマップを制作するにあたり、調査範囲を決定しなければならない場面があった。結局、旧町人町という範囲に定めたのだが、この決定は単に「面白いから」という直感的な判断で決められたように、その時の私には思われた。だが、この判断はよかったといまでは理解できる。その場面がこのプロジェクトにおいて一つの重要なポイントであったことは、粟津や川添登の文章を読んでいて気がついた。都市が構造を変身（「新陳代謝」でなく、「メタモルフォーゼ」）させるポイントは、異なるリズムを持った波の交錯点にあり、そのポイントを、その時と場所を逃さずに的確に捉えることが重要なのだ。粟津の重要性は、そのことをしっかりと理解していたことにあると私は思う。

（二〇〇七年一一月一日号）

「荒野のグラフィズム　粟津潔」展関連企画

金沢21世紀美術館では、一七五〇点を展示する過去最大規模の粟津潔の個展を開催中だが、四カ月の会期中に四三の関連企画を行っている。これらは単に展覧会の派生的な行事として行われるのではなく、関連企画こそが今回の展覧会の核心を成すとも言える。最も大きい展示室を「ワークショップ・ルーム」とした。ここでは粟津の版を使ったシルクスクリーンのワークショップなどを開催し、すでに三〇〇名を超える人々が参加し、展示の一部をなしている。関連企画には、ほかに、レクチャー、コンサート、パフォーマンスなどがあり、針生一郎、中原佑介、北川フラム、福田繁雄、勝井三雄、永井一正、松本俊夫、篠田正浩、奈良義巳、一柳慧、小杉武久、Ayuoら、粟津潔に関わりの深い人たちが、美術・デザイン・映像・音楽等の分野を横断して集まった。粟津潔は、これらのさまざまな人々と共に、ジャンルや役割分担など未分化のまま、新しい文化を創り出している。作品は発注者がいないまま制作しているものがほとんどで、たとえ発注者のいるポスターであっても、ポスターで伝えるべき内容とは無関係に、指紋や波、等高線など粟津の関心に基づいたモチーフを大きく取り上げた「作品」として仕上げてしまった。その活動は、クライアントの希望に添った商品を提供するという今日的な意味でのデザイナーの域を大きく超えており、雑誌を創刊して人を組織し、クライアントに働きかけてコンサートの資金を調達するなど、さまざまな芸術運動の仕掛人となった。奈良義巳が語ったように、「デザイナー」という人と人の間に立つ位置にいたからこそ、できたこととも言える。

金沢21世紀美術館は、幸運にも、粟津潔のアトリエにあった作品や資料を一括して寄贈を受けることができた。点数にして二六〇〇点以上になる。しかし、美術館とは第一義的に、人のつながりの結節点であるという当館の立場からすると、制作された物体だけが保管されても意味がない。できるだけ早い時期に一堂に展示する機会をつくり、それと同時に、多くの粟津との協働者に来てもらい、美術館の利用者とつなぐことが必要であった。美術館が、人のつながる場所なのだとしたら、良い展覧会かどうか、良いコレクションかどうかは、面白い人にどれだけつながってゆくかで測られる。この判断基準からは、粟津は高いポテンシャルを持っており、展覧会予算の約半分を関連企画に充ててでも、そのポテンシャルを引き出さなければならないというのが、すべての土日祝日にイベントを実施した主な理由の一つである。

各イベントを通じて、文献だけでは知り得なかった情報を知ることができたのは大きな収穫であったが、それ以上に、粟津の協働者たちと向き合って、話をしたり、演奏してもらったり、物事を決めていったりすることを通じて、その人の価値観や姿勢が感じ取れたことに大きな意味があった。私は、粟津の多様な側面のうち、特に、線や波、印鑑といったモチーフを多用していた六〇年代の作品が重要であると考えているが、その観点からは、とりわけ、松本俊夫のレクチャー、浜田剛爾のパフォーマンス、一柳慧のコンサート、そして小杉武久のコンサートが興味深かった。粟津のこの時期の作品の今日的な重要性については、展覧会のカタログ『粟津潔 荒野のグラフィズム』[1]で述べたので、ここでは詳しくは繰り返さない。簡単に述べると、世界は多くの異なる波で構成されており、その波同士の干渉から自由を達成すると粟津が考えていた点が重要である。

松本俊夫は、粟津の映像作品《風流》(一九七二)と自身の映像作品《つぶれかかった右眼のために》(一九六八)を上映し、粟津の映像作品を映像史に位置づけた。日本で最初のマルチ・プロジェクション作品といわれる《つぶれかかった右眼のために》は、三つの16ミリフィルムを重ねて投影するもので、最初に草月アートセンターで上映した時には三つのプロジェクターをシンクロさせる機材を使用したという。しかしその後上映した際には、予算的な事情からその機材を使用できなかったために、ずれによって映像の偶然の重なりが生じ、そのことが面白かったと語った。この発想は、複数のパフォーマーが五分間かけて椅子から倒れ落ちるという、粟津もパフォーマーとして参加していた一柳慧の一九六六年のハプニング作品と通ずるものがある。この作品も、各自が自分の身体で時間を計るために、パフォーマーの間でずれが生じて、そのことが面白さの一つになっている。

同様の発想は浜田剛爾にもみられる。浜田は一九七八年に粟津が行った、石を肩の高さに持ち上げて落とし続けるというパフォーマンスの再現を行った。再現を記録するため、三〇分間のそのパフォーマンスを、四方向から同時に映像で撮るということを浜田が言い出した。当時のパフォーマンスに映像の記録は無い。「四つの」というところで、私はその真意を測りかねていたが、最終的に上映してみて、面白さが分かった。四つの映像は同じ行為が撮られているが、完全に同時に再生できないため、石が落ちる瞬間に若干の差が生じる。それがリズムを生み出していた。このずれを楽しむ感覚は、線の反復による粟津の作品にも共通している。

「空間から環境へ」展での一柳慧のハプニング作品、1966年
[出典：『輝け60年代』「草月アートセンターの記録」刊行委員会、2002年、25頁]

一柳慧のコンサートは展示室で行ったが、この展示室は天井も高く、残響時間が長い。下見にきた一柳は、その残響を生かすためにあえて音を重ねてゆくような曲を選ぶと面白いだろうと語った。寒川晶子が演奏した一柳作曲の「タイム・シークエンス」は、大量の音を重ねてゆくことによって、音のモアレを生じさせるような曲である。前日に客のいない状態でリハーサルを行った時には、特に残響が大きく、ピアノとは思えず電子音のように聴こえた。

同じ場所で翌週、小杉武久が一九七〇年代の「マノ・ダルマ・コンサート」

を再現した。天井から電波発振器を糸でつるし、扇風機の風で揺らす。この発振器の出す波と床に置かれたラジオ受信機の出す高周波の波とが、干渉し合って可聴域にある波を生み出す。世界は波の集合であり、音楽家はその受信機であるという考えに基づく、音の釣り、「キャッチウェーブ」である。

小杉は「発信機」(transmitter)ではなく、「発振器」(oscillator)としている。この違いは重要である。「発信機」と表記した場合、可聴域にある「音波」を「電波」にエンコードして送り、受信側で再び「音波」にデコードするというモデルが想起される。パッケージ化されたデータが、ある通路を通って伝達されるイメージである。しかし、小杉はラジオが原理的にこうしたモデルとは異なった伝達方法を取っていることに注目する。ラジオは、発信側も受信側も共に、波を発振している。その波は可聴域にないために「電波」と呼ばれるが、「電波」も「音波」も共に同じ波であり、周波数の違いがあるだけである。波同士が干渉し合って新たな波が発生するが、その新しく発生した波が可聴域にあるとき、それは、ラジオの「音」として認知される。このように、ラジオの伝達モデルは、受信側も送信側も双方が発振していること、音も電波も同じ波であること、伝達される波自体が通路でもあることによって特徴づけられる。このことにより、小杉は、ジョン・ケージがノイズにまで広げた音楽の領域を、耳に聴こえない波の領域にまで拡張したわけだが、今日、小杉が刺激的なのは、むしろ、双方向的なコミュニケーションモデルと、伝達されるコンテンツ自体がメディアであるというモデルを提示している点にあるように思われる。

粟津は、異なる波の干渉する地点に自由を見ていたが、それは小杉も同じであったろう。「扇風機の風が天井から紐につるされている無線の発振器と受信機を動かしているのを眺めていたとき、自由を感じた」とは小杉の言葉である。

注

［1］鷲田めるろ「栗津潔とメタボリズムの思想」（『栗津潔 荒野のグラフィズム』フィルムアート社、二〇〇七年、二〇八―二一二頁所収）

（二〇〇八年二月一日号）

アノコザ

三月の半ば、「アートネットワークおきなわ（ano）」が企画する「アノコザ ano week in KOZA」（以下、「アノコザ」）という展覧会を見に沖縄市を訪れた。「アノコザ」は、主に沖縄市や那覇市から一七組のアーティストが参加し、沖縄市の中心となるゴヤ十字路に隣接する商店街の店先や、空き店舗、駐車場などを使って一週間にわたり実施された。基地の街、沖縄市は「コザロック」の伝統があり、昨年（二〇〇七）ゴヤ十字路にオープンしたミュージックタウンも評価されて、今年（二〇〇八）三月、金沢市、近江八幡市、横浜市と共に文化庁より「文化芸術創造都市」として表彰されている。

「アノコザ」は、二〇〇六年より、沖縄市で中村政人が行っているワークショップ「コザ／キャッチ＆リリース」

「アノコザ」本部

福長香織展示［上2点、撮影：著者］

を元に実現した。これは、街を歩き回り、キャッチしたものを、アーティストの眼と手を経て、再び街にリリースしようというものである。このワークショップに参加したアーティストの福長香織によると、ワークショップ参加者の間で、それぞれがキャッチしたものの交換が起こったという。ある参加者がキャッチしたものに、別の参加者が面白さを発見し、アイディアを付け加えたり、あるアイディアに、別の参加者が情報を付け加えたり。例えば、普段、ハローワークに勤めている大川無は、もともとアーティストだったわけではなく、ワークショップの参加者だった。大川は園部亨弘と一緒に、シャッターの閉まっている空き店舗に貼られた「貸」や「空」というサインに着目し、「空」を「そら」と読み替えて、そらの写真や絵をその上に貼るという作品を展開した。これも当初は別の参加者がキャッチした「空」のサインの写真からスタートしているという。

石を使った彫刻を主に制作している福長は、コザ十字路から伸びる「くすの木通り」拡張のために伐採されたくすの木の廃材を使い、インスタレーションを制作した。これも最初は別の人がキャッチした情報だったが、福長を経て、街の記憶をとどめる作品となった。開発と街の記憶の間で、一方の立場に肩入れするわけでもなく、ただまなざしを向けるという作品で、印象に残った。

コミュニティFM「FMコザ」の花、ラッパーのさとまん、juru*yなどミュージシャンと一緒に展覧会を実施しているのもコザらしい。

中村政人も展覧会全体を仕掛けながら、自らもアーティストの一人として参加している。格安で借りたビルをリノベーションし、今後、氷見や水戸、大館、金沢など他の地方都市とつながるレジデンスとして継続的に運営する計画「Zプロジェクト」を発表した。

私自身は見ることができなかったが、最終日には、駐車場のパーキングタワーの外壁を使った映像プロジェクションが行われた。街の人たちとの反省会でも、特にこの上映会は継続したいとの声が強かったとのことである。アーケード街は、訪れる人には分かりにくいが、七つの商店街に分かれている。これまで一緒に何かを実施することはあまり無かったそうだが、「アノコザ」に参加、協力することで、組織を超えて顔を合わせる契機となったという。

アノコザのネットワークがベースとなり、沖縄市にアートの拠点が定着することを期待したい。この秋には、那覇で全国アートNPOフォーラムも開かれ、前島アートセンターは三年ぶりに「WANAKIO」を開催する予定だ。牧志の市場近くには新しく「おきなわアートセンター」も活動を始めている。沖縄が面白い。

（二〇〇八年五月二日号）

CAAK: Center for Art & Architecture, Kanazawa

二〇〇七年秋金沢にて、美術と建築を横断しながら開かれた議論と交流の場をつくることを目指し、CAAK: Center for Art & Architecture, Kanazawaが活動を始めた。元SANAAスタッフで金沢21世紀美術館の設計を担当し、現在は金沢で設計事務所を開く吉村寿博、仙台の阿部仁史アトリエでいくつかの住宅を担当したあと金沢で設計を行う林野紀子、金沢出身で隈研吾事務所などを経て東京と金沢で事務所を開くことになった松田達ら若手建築家と、金沢21世紀美術館キュレーターである私が中心メンバーとなり、約一〇名のスタッフで運営を行っている。

設立のきっかけは、同年に金沢21世紀美術館が主催したアトリエ・ワン「いきいきプロジェクトin金沢」であった。半年間にわたって金沢の街をリサーチするというプロジェクトの性質上、期間中は美術館から徒歩五分の一軒家を借り、「いきいき荘」と名付けて拠点とした。毎週末、過密なスケジュールを縫ってアトリエ・ワンの塚本由晴と貝島桃代が交代で来沢し、この「いきいき荘」でパーティを行うことが恒例となった。そもそもは、金沢工業大学や筑波大学、東京工業大学など、プロジェクトに参加した学生たちが経済的理由から自炊をすることから始まった「いきいきパーティ」だったが、金沢でのリサーチが進むにつれ、リサーチを通じて知り合った人たちを招き、新たな交流の場として機能し始めた。当時塚本と貝島は頻繁に海外に渡航しており、来沢のたびにイスタンブール、ナイジェリア、

CAAKの拠点、寺町の町家［撮影：著者］

北京など、その一週間の間に彼らが訪ねたさまざまな都市の様子を画像で見ながら、建築家の目線でレポートしてもらえるという特典も定着した。

スライド・レクチャー付き「いきいきパーティ」は週末の定番となり、プロジェクト関係者、美術関係者、建築関係者など入れ替わり立ち替わり、毎週三〇人程の参加者が集まるようになった。

美術館主催のプロジェクトが終了後、この人のつながりを生かすべく、美術館からは独立した「CAAK」という任意団体を設け、活動を継続させることとした。スライド・レクチャー付き「いきいきパーティ」を踏襲し、CAAKは設立以来五カ月間で九回のレクチャー＆パーティを行った。建築批評家の五十嵐太郎、国際芸術センター青森ACACの日沼禎子、建築家の新堀学、「アノコザ」の中村政人などが講師としてCAAKを訪れた。テーマは特に限っていないが、自ずと「リノベーション」「アーティスト・イン・レジデンス」「まちづくりとアート」などがキーワードとなってきていると感じる。

金沢21世紀美術館が開館してから三年。最近、金沢では美術館や大学を飛び出して「オルタナティブ」なアート活動ができる場を創設しようという動きが散見される。このような動きがつながりながら街全体に広がりつつあるように思う。また、CAAKはアーティスト・イン・レジデンスも行っており、イスラエル／オランダのアーティスト、ラム・カツィールや、「フォトモ」の糸崎公朗が滞在した。糸崎は滞在中、金沢をモチーフとした作品を制作し、現在金沢21世紀美術館にてそれらの作品を含めた個展を開催中である。

CAAKは、NPO法人「金澤町家研究会」の協力を得て、四月より金沢市寺町の築八十年の町家に移転した。「いきいき荘」が住宅街の中の民家だったのに対し、商店街にあり、広い土間で以前陶器店が営まれていたという寺町の町家は、街とのつながりが圧倒的に強い。イベントを行っていると、会場全体が通りから見通せ、商店街を通る人が覗き込んでゆく。また、長年この場所に馴染んできた町家の建物がどのように使われるのか、商店街や近隣の人の関心も強い。

町家の空間的ポテンシャルに助けられながら、開かれた場を継続してゆきたい。


（二〇〇八年五月二日号）

丸山純子

この秋、金沢21世紀美術館は、「金沢アートプラットホーム2008」と題した展覧会を行う。公園や商店街、空きビルや空き町家など、金沢の街の各所を会場とし、一九人の作家が参加する。私は四人のキュレーターの一人として、現在、その準備をしている。この展覧会を我々は、「プロジェクト型の展覧会」と呼んでおり、街の空間や人と積極的に関わる作品の集合体としての展覧会を目指している。私は子どもたちと一緒に等身大の紙相撲をつくって大会を行うKOSUGE 1-16、町家を改修するアトリエ・ワンなど七組の作家を担当している。

展覧会をつくることを通して、街を見たい、知りたい、という思いが原点にある。そして自分が知って面白かったことを、人にも知ってもらいたい、という思いもある。だからこそ、作家と作品をつくっていく過程を多くの人と共有し、共に展覧会をつくってゆきたいと考えている。例えば、参加作家の一人、丸山純子は、スーパーのレジ袋を使って花をつくってきた作家である。これまで、彼女自身も多くの花をつくってきたし、新潟やオーストラリアのパースなど、さまざまな場所で、ほかの人と一緒に花をつくってきた。今回、金沢でも花をつくり、美術館近くのタテマチストリートという商店街に六千本を超える花のインスタレーションを展開する。

彼女はいま、金沢で花をつくり始めている。金沢では、お年寄りのグループホームや、精神病院などでも花づくりを行うことにした。丸山から、以前に彼女がパースで行ったワークショップの話を聞いたからである。パースで丸山は、精神病院を退院した人たちが社会復帰を目指す作業所でワークショップを行った。ワークショップの間、参加者同士、積極的に会話が交わされたわけではないという。一人一人が個別に花をつくるので、共同で作業をするわけでもない。だが、普段一つの場を共有して何かを行うことが無かった人たちが、集まって花をつくったのは良かったと丸山は言う。写真は撮ることができなかったということで、私はその情景を想像するほかなかったが、会話が特に無かったとしても、良かったという言葉は信頼すべきだと考えた。

今回始めにワークショップを行ったのは、認知症のお年寄りのグループホームである。一〇人以上の入居者の方、ホームのスタッフの方、ご近所の方、高校生、小学生、合わせて四〇人あまりが花をつくった。最初にレジ袋の端を切り落とす。まっすぐにだけ切れる人。花びらにテープを貼付けるのが得意な人。手は一向に動かさないが、話をするとにこっと笑いを返す人。一つもつくってはいないのに、カメラの前で、出来上がった花とポーズをとるのがうまい人。教えてもらっていないから、うまくできるはずがないと怒る人。

さまざまな介護施設に通い、聞き慣れない用語を覚えてゆくうちに、介護保険の仕組みなども、少しずつ分かってくる。しかし、社会における介護の問題を把握し、改善することが主目的ではない。もちろん、花づくりがうまくなることが目的なのでもない。ではなんのために、花をつくっているのだろう。自分でやりながら、分からなくなってしまうことがある。

ただ、花づくりを通して、いくつか知ったり感じたりしたことはある。まずは、一人一人のお年寄りのことである。渡辺さんが一旦ものづくりに集中し始めると、声をかけてもなかなか気づいてもらえないこと、奥村さんは女学校

介護施設でのワークショップの様子［写真提供：金沢21世紀美術館］

を出ていて、そのことに誇りを持っていること、それはレジ袋の花がなければ知り得なかったものである。

それから、花づくりが始まるといろいろな人が入り乱れて、にぎやかだったが、これは実は珍しいことではないかということ。花づくりが終わり、近所の方や高校生が帰った後で、入居者の方たちとお茶を飲んだ。その時、非常に静かに感じられた。入居者同士はほとんど話をすることがない。これは別の施設でも感じたことである。食事をしたり、色鉛筆で色を塗ったり、字をなぞったり、それぞれが作業しているのだが、あまり話さない。例えば、介護予防のプログラムの中で花づくりをした時とは対照的である。地域包括支援センターでもワークショップを行ったが、そこで月に一回行われている介護予防プログラムは社交の場となっている。多くの人が「よそゆき」の服でおしゃれして来ており、始まる三〇分ほど前から集まり始めて、さまざまな世間話に花を咲かせて、たいへんにぎやかである。ところがグループホームではそうではない。とするならば、花がきっかけとなり、さまざまな世代の人が集まって、祝祭的な場が生まれたことは、良かったのではないか。歌を歌いだす人もいたし、花をつくらなくても、にこにこしている人がいた。記憶は残らなくても楽しかったという印象は残るという。

そして、美術館から訪れた自分たちがそういう場に身を晒すということも、重要だったと思う。ワークショップの説明をする時に、その内容や展覧会の説明をするだけでなく、まず、「兼六園の横に21世紀美術館という美術館がありまして」と言うところから話を始めざるを得ない。話しながら、三年前の開館前にはさんざん繰り返していたこの説明を、開館後しばらくしていなかったことに気づいた。もっとも、何度説明しても、ここではヘルパーとしか認識はされないし、「美術館の誰々である」ということに意味がないことが分かってくる。キュレーターであると同時に、ケアマネージャーであり、ヘルパーであることが必要となる。

お年寄りと花をつくることにどんな意味があるのか、日々考えながらワークショップを行っている。これまで、認知症のお年寄りのためのグループホームで一回、お年寄り地域包括支援センターが公民館等で実施する介護予防プログラム「ふれあいサロン」で二回、精神科が中心となる病院で三回、行ってきた。この実現には、昨年まで金沢市役所の介護保険課で仕事をしていた、美術館総務課スタッフのネットワークと知識、経験が大きな役割を果たした。金沢21世紀美術館が市立美術館であり、介護保険制度を運営しているのが市役所であることが助けとなった。そして、今回、ケアマネージャー、ヘルパー、作業療法士、社会福祉協議会や民生委員の方と共同でワークショップを行うことにより、美術館と地域包括支援センターとの直接の関係も生まれた。だが、お年寄りたちが集まる場をつくっているのは、各グループホームや地域包括支援センターであり、美術館はそのゲストとして外から訪れているにすぎない。もちろん、外から普段とは異なる風を吹き込むことは重要であろうし、一回ごとに完結するワークショップとして充実感もある。今後もこうしたワークショップは続けるのだが、もう少し、美術館が主体となって、お年寄りやさまざまな人が集まって継続的に花づくりをする場をつくれないかと昨日、ワークショップの後に、丸山と話した。花づくりをする地域のサロンのような場所である。そのためには、美術館が公民館などで、場所を確保し、ケアマネージャーの方などにアドバイスをもらいながら、民生委員の方からの口コミや回覧板などを含め、告知の経路をつくっていかなければならない。

（二〇〇八年八月一日号）

友政麻理子

友政麻理子は、妹島和世を知らない、と言った。片や二十代のアーティスト、片や世界に知られた建築家。フィールドや世代は異なっており、若い友政が妹島を知らなくても無理はない。だが、二人が見ているものは近い。

友政の作品に、《大陸移動説／レジャー》（二〇〇五）というものがある。ピクニックで多くの人が座っている状態で、

SANAA《フラワーチェア》［撮影：筆者］

友政麻理子《お父さんと食事》2000/2008年［写真提供:友政麻理子］

下に敷いているレジャーシートをずらしていくというものだ。一つのシートに一つの家族が座っている。シートが一人分ずれると、その一人は、隣の家族と同じシートに座ることになる。「家族」の単位が解体されていく。SANAAの《フラワーチェア》も同じ発想である。ある椅子に座る人は、隣の椅子に座る人との関係が、同じ椅子に座る人との関係よりも強い。この組み替えの考え方は、妹島の建築に貫かれている。

「金沢アートプラットホーム2008」という展覧会を開催するにあたり、友政を選んだ理由は、さまざまなかたちをとって展開する彼女の一連の作品に、「物語」を解体する意志と力を見たからである。

《お父さんと食事》は、シンプルな作品だ。「いただきます」から「ごちそうさま」までの間、親子であるという約束をして、友政は自分の父親くらいの年齢の男性と食事をする。展示会場として借りた一軒家の一階のお茶の間にはテーブルが置かれ、その奥にはテレビがある。テレビに映っている映像は、まさにその部屋で友政が「お父さん」とカレーを食べている様子である。そして「お父さん」は入れ替わってゆく。普通の家の普通のお茶の間で、普通の親子が食事をしている。だが、その会話を聞くと、ぎこちなさと、居心地の悪さが伝わってくる。にせの家のにせのお茶の間、にせの親子。そして、にせのお茶の間に座って映像を見ている自分は？ プライベートとパブリック、フィクションとリアルの境界が、重層化され、かく乱される。自分が家族だと思っているものは、家族ではないかもしれない。普通の家のように見えるが、誰でも入ることができる展示空間でもある。

繰り返す。私が、友政を選んだのは、彼女が持っている、このかく乱する力を信じたからだ。その力は、妹島に匹敵すると思った。そして彼女は、八月からこの家に住み込み、この家で、金沢で出会った人とパフォーマンスを行い、展示をした。結果、彼女は、期待に十分に応えたと思う。しかし、出来上がった作品を見て、真に良い作品だと思った理由は、もう一つ別にあった。それは、パフォーマンス／映像の提示の仕方であった。これは、キュレーターとして私が予想しきれなかった部分であり、その分、喜びも大きかった。友政の「お父さん」との食事は、その様子を撮影した映像として展示されている。しかし、その映像を見る人は、中立的な第三者でいることを許されない。例えば、私たちが一九六〇年代のアーティストのパフォーマンスを記録映像で見るときの体験を想像してみる。アーティストが不可思議な行為を映像の中で繰り返し、見る人はその行為を理解しようと努めるとしても、自らがリアクションを求められることはない。ところが、友政の映像の場合、パフォーマンスが行われているのは、見るあなたが、いま座っているその場であり、「パフォーマンス」とは、日々あなたが娘や父親と行っている会話にすぎない。もし、いま、ここに友政が現れて、台所からカレーを運んでくれれば、あなた自身が友政の家族になるという状況に置かれるのだ。

先日、横浜トリエンナーレで、ティノ・セーガルの作品を見た。三溪園に飛騨から移築された豪農の家の座敷で、男女が絡み合う作品である。良い作品だ。行われている行為が、公共の場にそぐわないというだけで、家では誰もが行う日常的な行為だからだ。服装が三溪園を訪れたカップルのようであるのもよい。パフォーマンス作品として行われているということが了解されているとしても、つい見てはいけないかのように、眼をそらしてしまう。パフォーマーの一人が自分に迫ってきたとしたら、どうすればよいか、考えてしまう。あるいは、同じ行為をこの畳の上で、自分が始めたとしたら、周りの人たちはどうするだろうか。観客が安全地帯にいることはできないのだ。このようにパフォーマンスには、常に見る人の安全地帯を脅かす要素がある。しかし、それが映像に撮られて上映されたとしたら、その要素を保つことは果たして可能だろうか?

友政は、作品の重層性を強めることによって、観客の安全地帯を脅かす。その重層性は、パフォーマンスを始める前から周到に用意されている。「お父さん」と食事をする時にも同じ位置にテレビが置かれ、そこでは、軍手でつくった人形による架空の親子の会話が流れている。このテレビによって、パフォーマンスは合わせ鏡のように入れ子状になる。さらに、観客の座る部屋は、ごくありきたりの家を友政が時間をかけて探したものである。スタッフはエプロンをつけ、毎日、洗濯物を干すことを要求される。そして、展覧会の会期が始まってもなお、しばらく友政はこの家に住み続けていた。関わった人が家具を貸してくれ、家はより家らしくなった。展示スペースを「茶の間」が浸食する。この重層性によって、観客はテレビの画面を超えて、パフォーマンスに巻き込まれることになる。

この重層性は偶然ではない。二階に上がったところで展示されるもう一つの作品《「カミフブキオンセン」》(二〇〇六／二〇〇八）は、さらに複雑に重層化された作品である。訪れた人は、畳の間に紙吹雪で満たされた湯船に浸かりながら、モニターで語られる物語を聞くことになる。その物語は、いま湯船に満たされている紙吹雪を切りながら、さまざまな家族がつくった、架空の「カミフブキオンセン」にまつわる物語である。この作品は、家族から家族へと物語を伝えてゆくことによって、フィクションである物語が次のフィクションを生み出す時に影響を与えることが一つのテーマとなっている。フィクショナルな物語の持つ共通の構造に眼を向けさせることによって、物語自体のオリジナリティを批判し、その特権性を疑うものである。

この点で、家族という物語を解体する姿勢とつながってくる。家族や父親という物語を疑うというテーマから出発した友政が、物語自体にテーマを展開させた作品と位置づけることができる。だが同時に、この作品でも、映像を見ているはずの自分が、映像の中の人がつくる温泉の物語の一部としてパフォーマンスさせられているということが起きている。いま手で触れている紙吹雪は、まさに画面の中の登場人物がつくったものであり、服の隙間に残ってしまった紙吹雪は、さらに家を出て街の中へと連れ出されることになる。その連れ出しに、観客は意図せずにかり出されるわけである。

映像と観客との関係を生み出す、こうした映像の提示の方法は、かつてのビデオ・インスタレーションには無かったものである。ピピロッティ・リストやダグ・エイケンに代表されるような、九〇年代以降主流となったビデオ・インスタレーションは、それまでのシングル・スクリーンのビデオ作品と違って、見る人自身の身体を意識させ、動きを誘発するものではあったが、スクリーンの中の世界と、スクリーンの手前で見ている観客との間には確固とした境界があった。しかし友政は、その境界をなくし、映像を見る者は、パフォーマンスに立ち会っているかのような経験をさせられる。この点が、私が友政の作品について事後的に発見した重要性である。九〇年代のビデオ・インスタレーションとの違いは、時代を画するものとして強調されるべきだと私は考える。そして同じ理由で、今日、ティノ・セーガルの作品は評価されるべきである。さらには、ダン・グラハムの一九七〇年代前半のディレイを使ったリアルタイムのビデオ作品を、今日、再評価すべきであると私が考えているのも同じ理由である。友政は、重要な作家となるであろう。金沢の作品を見逃すべきではない。

（二〇〇八年一一月四日号）

KOSUGE 1-16「どんどこ！巨大紙相撲」

「金沢アートプラットホーム2008」において、私は、美術が地域社会の抱える問題に対してどのように寄与できるかという課題に取り組もうとした。その際、社会を構成する集団間の分断化を今日の社会の問題と捉え、各集団の間に美術によるバイパスを開くという方法を試みた。その際、「高齢化社会」への対応を考えることは必須で、丸山純子のプロジェクトは、この角度からのアプローチであった。また、友政麻理子の作品は、社会を構成する重要な集団の一つである「家族」において、内的な紐帯の弛緩する状況に対し、「家族」のつなぎ方と開き方を問うたものであった。

そして、もう一つの重要な集団として「学校」がある。学校という集団を地域社会と関連づけたとき、「教育コミュニティ」という設定が可能である。「教育コミュニティ」とは、社会学者・志水宏吉の定義によれば、「地域に生まれ育つ子供たちの『教育』を機縁としてつくり上げられる新たな人間関係のネットワーク」である。志水は、この「教育コミュニティ」を重視し、公立学校の可能性を擁護する[1]。基本的にこの考え方に沿って、学校を学力の向上を目指す教育機関に矮小化せず、地域社会の結節点として再設定できるかを問うことが、今回のプロジェクトにおける私の目標であった。すなわち、「学校」という集団を「教育コミュニティ」という集団に広げることと言い換えてもよい。また、公民館も校区ごとに設置されており、校区を単位とする「教育コミュニティ」の拠点となっている。公民館との関わり方も、同じ課題の別の側面として重要性を持っていた。

この課題に対して協働したのが **KOSUGE 1-16**（以下 **KOSUGE**）である。「どんどこ！巨大紙相撲」という企画を行った。各校区の公民館や学校に「巡業」して、段ボールを使って身長一八〇センチの力士をつくり、最後に体育館に集まって優勝力士を決める「千秋楽」（大会）を行うという企画である。「巡業」では、各巡業地を一つの「相撲部屋」と見立て、各力士には地域にちなんだ「しこ名」をつけた。また、出来上がった力士を持って地域の商店街をパレードした。八百屋さんに「千秋楽」でのちゃんこ鍋の材料を提供してもらったり、食事処には、「懸賞」のランチ券などを提供してもらったりした。つくった力士を商店街の店舗に置いてもらったりもした。学校を会場とした時には、地域について学ぶ総合学習の時間と段ボールの工作を行う図工の時間を組み合わせて実施された。学校や教育委員

KOSUGE 1-16《どんどこ！巨大紙相撲～金沢場所～》2008年［写真提供：金沢21世紀美術館館］

会も企画の意図を理解し、協力的であったが、学校の理念との相違が顕在化する場面もあった。また、単純に自分の力が至らなかったところもあった。その場面を三点に分けて振り返ってみたい。

一　平等か自由か

一つ目は、機会の均等に関してである。義務教育としての学校は、児童労働から子どもを守ることが出発点となっており、子どもの学ぶ権利を親から守るためにある。学校の授業として「巡業」を行った場合、ある学年の児童は全員が参加できる。しかし、義務教育の範囲は、平日の授業の時間内に限られる。そのため、日曜日、学校の外で行われる「千秋楽」に参加するかどうかは親の自由であり、学校として親に参加を求めることもできないし、教師に引率を命じることもできない。逆に、学校の外にまで参加を強いることは、学校という集団の越境行為となる。原武史は、自らの体験として、林間学校への参加が苦痛であり、学習塾が逃避の場であったと述べている[2]。学校の内と外、平日の授業のある時間と休日との間を横断するプログラムを組もうとした時、学校での平等を取るか、休日の自由を取るかのジレンマに直面した。

結局、校区ごとの公民館を会場として美術館が主催し、「巡業」と「千秋楽」の両方に参加できる親子を学校や子供会を通じて募集する方法と、学校の授業の中で「巡業」を行い、美術館が主催する「千秋楽」に保護者が連れて行く方法の二種類の方法を取ることにした。授業で力士をつくったが、「千秋楽」には参加したくても参加できなかった子どももいただろう。

二　チャンバラ問題

地域と学校をめぐる二つ目の論点は、目的に関してである。学校で巡業を行う際、中には、力士づくりに飽きて段ボールで刀をつくり、チャンバラ遊びを始める子どももいる。第一義的に教育を目的とする学校では、子どもが力士づくりに意識を集中させ、共同作業に取り組むようにせざるを得ない。達成度の評価もしなければならない。ところが、地域における場づくりを目的とするKOSUGEは、チャンバラ遊びを否定しない。むしろ、積極的に評価基準を複数化する。例えば、力士一つをとっても、造形だけでなく、対戦での強さが重要な評価基準となる。飽きた子どものために、「床山さん」という、風船とガムテープを使ったカツラづくりのプログラムも用意している。力士をつくらなくても、極端に言えば、チャンバラで楽しめればよい、世代を超えた人たちが場を共有できればよいという考え方である。今回の企画では、学校で「巡業」を行うときは技術の習得や共同作業を優先し、公民館で「巡業」を行うときは場づくりを優先した。KOSUGEは、地域の大人たちを授業の場に招き入れたいと考えていたが、そこまでは踏み込めなかった。その際は、学校の独立性を守るという観点も必要となろう。KOSUGEが相撲などスポーツの形式を借りて企画を行うのは、美術とスポーツが出会ったときに生まれる両者のずれが、関わる人の創造性を喚起するためである。KOSUGEが好んで挙げる例は、「運動会」という形式が日本に移入された時に、何を種目としてよいか分からず、「デッサン競争」や「弁当競争」なども含まれていたという事実である。そこに見られる民衆の創造性をこそ評価したいとKOSUGEは考える。

新しく生まれた遊びを尊重するためには、名前をつけることも優れた方法である。子どもが、カツラづくりに使う風船を両手に持ち、土俵の上をくるくると回り続けていた時、とっさに「舞いを披露」とKOSUGEの土谷享が言っていたのには感心した。

三　安全確保の「責任」

三つ目は、安全の確保に関してである。公民館での「巡業」では、子どもの周りに、保護者である親と、地域の大人、ボランティアを含む美術館のスタッフ、そして作家がいた。子どもが土俵の上であまりに乱暴に飛び跳ねると、土俵が壊れて怪我をする危険があった。その際、「土俵は神聖な場所なので、二五歳以上しか乗ってはいけない」というルールを定めていた。根拠がないことが明らかなルールであったため、状況に応じて、周りで見ている大人が安全を確保できる範囲でこのルールは変化した。地域の遊び場であれば、周囲にいる大人が配慮して子どもの安全を守ることになるが、今回のように美術館の主催や学校の授業として行われる場合は、美術館のスタッフである私や学校の先生が安全についての責任を負わなければならなかった。場がさまざまな人によって共有されていても、安全性に関することになると、誰が「責任者」かということが追及される場面が生まれる。「金沢アートプラットホーム」という展覧会は、「自分たちの生きる場所を自分たちでつくるために」というテーマを掲げ、美術館が主催しながらも、どこまで主体を街に投げ出せるかという試みであったが、それが最も問われる場面であった。子どもたちの創造性を損なわずに安全性も確保するという課題にいかに柔軟に対応できるかは、場づくりの重要なポイントとなった。

以上が私がKOSUGEの企画を通じて感じた、美術が教育コミュニティと関わるときの主な論点である。学校がすべての人に関わるがゆえの、学校の経験の蓄積と議論の厚みをあらためて実感した。学校の理念と目的を学びつつ、美術と教育コミュニティの関係を探り続けなければならないと思う。

（二〇〇九年二月一日号）

注

［1］志水宏吉『公立学校の底力』筑摩書房、二〇〇八年

［2］原武史『滝山コミューン一九七四』講談社、二〇〇七年

フォロースルー——金沢アートプラットホーム2008

かつて『朝日新聞』に「フォロースルー」というコーナーがあった。話題になった事件が、その後どうなったかを報道する欄であった。事件には続報があるはずで、その全体を知らなければ判断は下せない。過熱しては、すぐに忘れ去る日本のメディアにあって好感がもて、愛読していた。

美術展もまた、一時のイベントとして忘れ去られてしまいがちである。展覧会に関する報道は、展覧会の終了と共に終わってしまう。しかし、これはある意味当然で、なぜなら美術展には会期があり、イベントとして完結する形式のものだからである。展覧会を体験したことが個人のうちになんらかの影響を残しうるとしても、それを評価することは難しい。ところが、昨年（二〇〇八）、金沢21世紀美術館が主催して一九人のアーティストが参加した展覧会「金沢アートプラットホーム2008」のうちのいくつかのプロジェクトは、街に継続的な活動を残すことを目指していた。だとすれば、展覧会が終了して四カ月経つ現在、それらがどのような展開を見せているかを検証することは、通常の展覧会とは異なり、続報に位置づけられるだろう。

KOSUGE 1-16は、「金沢アートプラットホーム」で前出の「どんどこ！巨大紙相撲」のほかに、三〇〇人以上の会員を持つ地域のサッカークラブ「FC.TON」と協働し、巨大サッカーボードゲーム《AC-21》のプロジェクトを行

KOSUGE1-16《AC-21》を使っての「AC-21カップ」［写真提供：KOSUGE 1-16］

った。FC. TONの子どもと大人が参加し、高さ約六〇センチのプラスチック製プレーヤー人形に、絵の具を使って思い思いのユニフォームを描いた。一方のチームは、「未来のFC. TONのユニフォーム」、もう一方は「未来のFC. まるびぃのユニフォーム（「まるびぃ」は金沢21世紀美術館の愛称）」という想定だった。そして、スタジアムも一緒に組立てた。さらに展覧会会期中、一六チームが参加して、《AC-21》によるトーナメント戦「AC-21カップ」を行った。この時、FC. TONは、チームとして参加するほか、運営側として審判などもした。

展覧会終了後の今年（二〇〇九）一月、金沢での全国フットボールカンファレンス開催に合わせて、金沢21世紀美術館でもテーブルトーク「タッグパートナーとしてのスポーツとアート」を行った。FC.TONのクラブマネージャー辰巳義和、KOSUGE 1-16の土谷享、東京のフットボールリーグ「DUOリーグ」のチェアマン中塚義実、クツ創家の佐藤いちろうをゲストに迎え、金沢でのKOSUGE

1-16とFC. TONの協働、東京でのKOSUGE 1-16と佐藤いちろう、DUOリーグの協働について報告してもらった。DUOリーグでは、靴磨き講座や、使い古したサッカーシューズを使ってトロフィーをつくるプロジェクトが行われていた。その後、この活動は総称して「Skin Project」となった。このテーブルトークがきっかけとなり、「Skin Project」を金沢でも行いたいという話に発展した。

辰巳は、持ち前の行動力で、自ら東京のKOSUGE 1-16のアトリエを訪ね、打ち合わせた。そして四月、FC. TONが主催して、佐藤いちろうとKOSUGE 1-16を招聘し、靴磨き講座とサンダルづくりワークショップを行った。小学校を借りて行われたプログラムでは、中学生、高校生を中心とするFC. TONのメンバーが履き古したスパイクを持ち寄り、佐藤の指導によって靴磨きを行った。磨いたスパイクを「Skin Project」に提供する場合は、二〇〇円の受講料が無料になった。「Skin Project」は、履き古したスパイクを解体し、サンダルとして再生する作品も展開している。この日は、「Skin Project」の用意したパーツを組み合わせてサンダルをつくるワークショップが開かれた。アッパーの一部に革の紐を縫い付け、それをソールに取り付ける。それぞれが自分の足に合わせたサンダルをつくり、持ち帰った。参加者の満足度も高く、辰巳は毎年続けたいという意欲を見せている。

一方、「金沢アートプラットホーム」では、築百二十年の町家の再生を行ったアトリエ・ワン。建築を学ぶ学生を中心とするボランティアチームにより、空き家となっていた町家を改修した。展覧会会期中は、作品の展示やコンサート、体験宿泊などを行った。展覧会終了後の今年一月、塚本由晴、貝島桃代が中心となって「まちやゲストハウス会」を立ち上げた。この会は、再生した町家を借り上げ、会員の知り合いにゲストハウスとして宿泊などに利用してもらうものである。年五万円の会費によって運営している。旅館ではないため会員が責任を持って紹介できる人しか泊まれないが、クリーニング代などの実費に相当する一人一泊二千円で宿泊できる。一月から三月までは寒さのため利用者は少なかったが、暖かくなった四月は、毎週のように利用者がいた。宿泊だけでなくリュートの演奏会なども行われた。

また、中村政人は、「金沢アートプラットホーム」において、継続的に活動する非営利団体「金沢アートポート（kapo）」を立ち上げ、かつて印刷会社として使われていたビルを改修してアートスペースとした。展覧会終了後は、kapo がこのビルを借り上げ、二階をアーティストの貸しアトリエとし、一階をカフェとしている。それにより、家賃と光熱費をまかなっている。さらに二階のギャラリースペースにて月に一回程度の展覧会を行ったり、一階のカフェスペースで舞踏などのイベントを実施したり、作品の販売も行ったりしている[1]。

FC. TON が行ったサンダルづくりのワークショップも、まちやゲストハウス会による町家の運営も、kapo によるアートスペースの運営も、金沢21世紀美術館は関わっていない。金沢アートプラットホームを通じて生まれた人のネットワークが生んだ独自の新たな活動である。出会った人々が自ら展覧会やワークショップなどを行い、アートの場をつくってゆく。これは、美術館が用意したワークショップに参加するという能動性よりも、もう一段階次のステージの能動性である。街と美術館のこのような関係性の中では、「展覧会」は出会いの場であり、展覧会が終わって新たな活動が始まる。その展開を今後も見守ってゆきたい。

（二〇〇九年五月一日号）

注

［1］その後ビルの取り壊しにより金沢市野町に移転。二〇二〇年現在、共同アトリエとレジデンス事業が中心となり、カフェの営業は行っていない。

S.M.A.K. の市民参加型アートプロジェクト

今年（二〇〇九）五月から一一月まで、ベルギーのゲントに滞在している。ゲントにある現代美術館 S.M.A.K. と金沢21世紀美術館との学芸員交流事業として、S.M.A.K. が街の中で行ってきた企画に関する調査や、参加型アートに関心を持つヨーロッパの作家の調査を行っている。

こうした調査テーマを設けた背景には、次のような問題意識がある。近年日本で、市民参加型アートプロジェクトが増えている。これは、美術の制度から疎外されてきた人たちが、主体的に「美術」という表現形式を活用できる可能性が生まれるという意味で評価したい。しかし当然ながら実施の現場では、さまざまな問題が生じる。その一つとして、日本各地でアートプロジェクトが行われているにもかかわらず、どこでも常に同じような作家やオーガナイザーが企画していることが挙げられる。このことが問題なのは、閉じたヒエラルキーの形成につながってしまうからだ。海外との風通しをよくすることは、それを避けるための有効な手段となり得よう。ヨーロッパで類似の関心を持って活動しているアーティストの情報に、どれだけ日本で触れられるだろうか。いったい何人の、参加型プロジェクトを行う日本の優れたアーティストが海外で知られているだろうか。この断絶は、市場に出やすい平面や映像作品と比べて、とりわけ参加型アートにおいて顕著だと思われる。コミュニケーション不足を解消することが、私たちキュレーターに課された緊急の責務であるという考えがこの調査テーマの背景にある。

ベルギーに来て二カ月になる。その間、多くの作品を見、作家に会うことができた。とりわけ、六月までトマス・ヒルシュホルンがアムステルダム郊外で行った「ベイルマー・スピノザ・フェスティバル」は、地域住民の参加型アートプロジェクトを考える上で、興味深いものだった[1]。ほかにも、オランダのサブリナ・リンデマンやビック・ファン・デル・ポルなど、今後、より詳しくその活動について知りたいと思うアーティストも出てきた。

ここでは、S.M.A.K. が行ってきた参加型アートプロジェクトについて一部紹介したい。S.M.A.K. は、一九七五年に活動を開始して以来、ヤン・フートがディレクターを務め、「シャンブル・ダミ」や「オーヴァー・ジ・エッジズ」など街の中で多くの展覧会を行ってきた。人口約二三万人の小さな都市の美術館として、街や社会との関係を重視してきた美術館と言ってよい。現在のディレクター、フィリップ・ファン・カウテレンに代わってからも「シティ・スキャン」というシリーズで、街の中での展示を継続的に行ってきた。二〇〇五年に西野達がゲント市の広場に立つ銅像の周りに寝室をつくった企画もその一つである。近い将来、「TRACK」という名称で、「シャンブル・ダミ」などに続く、大規模な街中を会場とした展覧会を企画中である[2]。

その中でも、住民との関係を重視した企画として現在継続しているものに、「モスコ－ベルナデット」がある。「モスコ」と「ベルナデット」は、プロジェクトの舞台となるゲント郊外の地域の名前である。これらの地域で、S.M.A.K. とゲント市、そしてアーティストにスタジオを提供する活動を行うNPOの NUCLEO の三者が共同で、継続的なアートプロジェクトを行っている。二〇〇五年に開始した当初は、スタッフが子どもたちとワークショップを行ったり、アーティストにアイディアを求めて、そのアイディアを描いたポスターを制作して街に貼るなどしていた。その後、アーティストを招聘し、プロジェクトを行った。例えば、バート・ロデウェイクスというオランダのアーティストは、街路に面した家の壁にチョークで、建物のシルエットを思わせるような直線的な絵を描いた。チョークなので、雨が降れば消えてしまうが、作家は一年間にわたってこの地に通い描き続けた。続けているうちに住民との信頼関係ができ、個人の家の中にまで、チョークのドローイングのエリアが広がった。プロジェクトとしての一年間が終わった後も、作家は同地での制作を継続しているという。ほかにも、コーン・ブルーケというアーティストは、道ばたに生えている草でスープをつくって住民に振る舞い、オランダのアンノ・デイスクトラというアーティストは、そこに住んでいないにもかかわらず、アーティストがその地に引っ越してきたという噂を流した。噂を本当らしく思わせるために、わざと芸術家らしい格好をして歩いたり、彫刻をアトリエに出し入れする振りをしたりした。こうした地味ではあるが、地域と関わりのある活動を四年間続けている。

また別の「KICK!」というプロジェクトは、S.M.A.K.と病院との共同プロジェクトである。その病院の医師がアートコレクターであり、美術への関心が高かったことがきっかけとなり、二〇〇七年より始まった。その病院では「コーチ」と呼ばれる、作業療法士的な役割を担う担当者が置かれており、企画はコーチと共に進められた。そして、地元の作家からマーク・マンダースやギヨーム・ベイユなど国際的に活躍する作家まで三〇人に小さなマルチプル作品をコミッションし、それを納めた五〇の箱を病院に置いた。入院している患者は、その箱を自由に借り出すことができ、それを自分のコレクションのように、使い、遊ぶことができるというものである。作品の移動を可能としたのは、病院が、家のようなプライベートな空間であると同時に、多くの患者が共同生活をする公共的な空間でもあるということを重視してであるという。

目立たない活動でも継続的に行っているなど学ぶべきところも多々あるが、今回紹介した作家の活動のすべてを、必ずしも私が高く評価しているというわけではない。また、日本の作家と比べて、海外の作家がより優れていると考えているわけでもない。にもかかわらず、海外とのネットワークづくりの重要性を訴えるのは、ネットワークを通じた情報交換が、日本やヨーロッパの活動において、自由な、新しい発想を生む原動力となると考えるからである。キュレーターの役割は、優れたアーティストを釣り上げることではなく、新たな発想を生み出す環境づくりを促進することにあると考える。日本のアーティストとヨーロッパのアーティストが直接つながってゆくことへのきっかけをつくるため、今後も、ベルギー、オランダを中心に、参加型アートに関心を持つ作家や施設などについて調査を進め、さまざまな媒体を通じて伝えてゆきたい。

（二〇〇九年八月一日号）

注

［1］下記を参照。鷲田めるろ「無国籍都市に対峙する市民プロジェクト——ヒルシュホルンのスピノザ」『美術手帖』六一巻通巻九二七号（二〇〇九年九月）、一一八頁

［2］「TRACK」展は二〇一二年に開催された。

「フォワーディング・バックヤード」展

ゲントにて、作家調査やS.M.A.K.の地域プロジェクトに関する調査と平行して、S.M.A.K.が主催する若手作家のグループ展「カミング・ピープル」のキュレーションを行った。

「カミング・ピープル」は、S.M.A.K.が毎年行っている展覧会のシリーズで、S.M.A.K.のキュレーターが、ゲント市内にある二つの美大、王立美術アカデミー（KASK: Koninklijke Academie voor Schone Kunsten）とゲント聖ルカ美術大学（Sint-Lucas Beeldende Kunst Gent）の修士課程を修了したばかりの若手アーティストの中から選ぶグループ展である。今年（二〇〇九）は、S.M.A.K.のキュレーター、ティボー・フェアホーヴェンと私が共同で担当し、一〇月一〇日より展覧会が始まった。

ベルギーの教育制度では九月に新学年が始まるので、卒業制作展は六月に行われる。まずは、この卒制展を見ることから始めたが、人口二六万人にすぎないゲントの二つの美大のレベルは日本の美大のトップクラスに匹敵するほど高いと感じられた。さらには、テキスタイルデザインやアニメーションのコースのレベルが日本以上に高いことは意外だった。これらのジャンルにおけるプロの作品の質は、逆に日本の方が高いのに不思議である。テキスタイルでは、化学繊維の加工に関するものが多く、プレゼンテーションの手法も含めて、工芸よりもファッションに近かった。また、「フリー・アート」という水泳の「自由形」のようなコースがあって面白い。なお、金沢美術工芸大学とKASKの提携により、金沢の学生が三カ月間KASKで学ぶ制度もある。滞在を経験したある学生は、金沢の美大を卒業後、ヨーロッパのレジデンス施設での滞在を希望するなど、このプログラムが学生の視野を広げていると感じる。

ゲント聖ルカ美術大学、卒業制作展時の門

王立美術アカデミー、卒業制作展展示風景［上2点、撮影：著者］

展覧会には、五人と一組の作家を選んだ。表現方法は映像、立体、パフォーマンスのドキュメントなどさまざまだが、地域や自己の内面など、作家自身にとって身近なものを制作の出発点にしている作家が結果的に多くなった。そのため、展覧会名を、「フォワーディング・バックヤード（Forwarding Backyards）」とした。バックヤードはフランドル地方の住宅によく見られる「裏庭」である。「裏庭」のように身近なところから出発して、

「カミング・ピープル 2009　フォワーディング・バックヤード」展展示風景［撮影：著者］

それを先につなげている作家たちという思いを込めた。

例えば、ソフィ・ヴァン・デル・リンデンは、鉛筆で紙に建物の透視図を描く作家だが、今回は、ゲントのある集合住宅の内部を描いたドローイングを展示した。彼女は各住人宛に手紙を書き、許可を得られた場合、訪ねて住居の一部をスケッチする。その後、スタジオに戻り、このスケッチと記憶に基づいて描くという手法で制作している。訪ねられなかった住居や記憶にない部分は真っ白に残しており、社会的なドキュメントと親密なスケッチの間のような作風である。手紙もドローイングを添えた手書きのもので、一緒に展示した。

クレア・ストラジエとアネリン・フェルメイルは通学で使っていた鉄道を作品の舞台とし、この鉄道の窓から見るためだけのパフォーマンスを線路沿いで継続的に行っている。パフォーマンスといっても線路沿いに一定の間隔で黄色い風船を持って並んだり、小麦畑の地面にブルーシートでメッセージを書くなど抽象的なものだ。そして、ウェブサイトに記録写真を掲載し、ウェブサイトのアドレスを電車の中で配るなどしている。flickrで記録写真を公開する時に、その撮影位置を示す点が、航空写真に描かれたドローイングのように線状に並ぶのも面白い。

ほかにも、自分の住む街を舞台にマカロニ・ウェスタン風の映画を製作したウィム・デ・カルウェや、拾って来た廃棄物などを組み合わせて、動物や人物像を思わせるユーモラスな立体をつくるピーター・デ・クレルク、自らの作品やアイディアのスケッチやメモ書きなどをテーブルに積み上げた上で、全体を逆さまにひっくり返したポール・L・ヴァン・ハーゲンベルクなどを展示した。

ネル・アーツは、映像と立体の間を注意深く横断する作家である。16ミリの映写機二台を使い、映像をループさせて、色を塗った木片を壁に沿って積み上げる映像を映し出す。平面に近い立体の形状は終わりなく変化し続ける。なおかつ、スクリーンと映写機もインスタレーションのように薄暗い空間で見せ、その横の仮設壁の裏側の木材を、映像の中の木片と同じように塗っている。木材と色という、彫刻や絵画を象徴する素材であることも生きている。

展覧会をつくる過程で感じた日本の美術館との組織上の違いは、S.M.A.K.の場合は、日本の多くの美術館では外部の会社に委託する業務を、内部の専門スタッフで行っていることである。例えば、広報印刷物のデザイン、仮設壁の設営、展示台の制作、展示作業、近隣の輸送、作品の修復、作品写真撮影、受付・監視などである。美術館として専門のスタッフを抱えるコストはかかるが、専門的な知識や技術が美術館の内部に蓄積されるメリットはある。それにより、毎回の契約といった事務手続きや打ち合わせにかかる労力は軽減される。さらに、特に展示制作の現場での変更に対する柔軟性は、展示の可能性の幅を広げている。持ち込んだ多くの作品の中から空間に合わせて展示する作品を選び、その場で、作家の望む形の展示台をつくったり、ガラスの作品カバーを切り出したりもできる。

また、この展覧会を通じて、ゲントの美大のあり方について知り、美大を通じた人のネットワークが広がったことも、成果であった。美術の現場は美術館だけではない。教育機関、商業ギャラリー、コレクター、マスメディア、NPO、美術館、行政、サポーターなどが絡み合いながら美術シーンを形成している。その全体を把握して初めて、その街における美術館の機能を評価し、果たすべき役割について考えることができる。そして美大も学内だけで閉じてい

ソフィ・ヴァン・デル・リンデン《Noordstraat 1》（部分）

ピーター・デ・クレルク《Blue Raincoat》

ネル・アーツ《Goodbye Old Paint》［上3点、撮影：著者］

るわけではない。美大にも、展示スペースがあってキュレーションを行うスタッフがいる。外部から一流のアーティストやキュレーターが招聘され、公開のシンポジウムも行われる。学生は、アーティストのアシスタントとして、また、さまざまなアートスペースのスタッフとしてアルバイトをし、また作家として、商業ギャラリーで展示をすることもある。大学を卒業し、ベルギーでこれからアーティストとして活躍しようとする人たちと、美術に限らずさまざまな話をする時間が持てたことは大きな幸せであった。

（二〇〇九年一一月一日号）

シャンブル・ダミ展の再評価

シャンブル・ダミ展は、一九八六年当時まだ自前の建物を持たなかったゲント現代美術館S.M.A.K.が、ゲント市内の五一の住宅を会場として行った、国際的な大規模展である。S.M.A.K.の歩みにとって最も重要な展覧会の一つである。この展覧会により、キュレーターのヤン・フートとS.M.A.K.は国際的に認知され、一九八九年にヤン・フートは、ドクメンタ9（一九九二）のコミッショナーに指名される。S.M.A.K.は、「オープン・マインド」展（一九八九）

など話題となる展覧会を積み重ね、一九九九年には自前の建物を獲得。その後も「オーヴァー・ジ・エッジズ」（二〇〇〇）など街中での展覧会も行い、今日、アントワープのMuHKAと共に、ベルギーの最もアクティブな現代美術館となっている。

また、シャンブル・ダミ展は、個人住宅を会場として使ったことから、展覧会一般の歴史においても重要な展覧会として言及されることが多い。今日、街中での展覧会は、日本を含む世界中で一般化しているが、それが広がり始めたのが一九八〇年代後半であり、一九八七年の第二回ミュンスター彫刻プロジェクトと共に、サイト・スペシフィックな展覧会の先駆例として位置づけられている。

私は、市民が主体となって参加することを目指した展覧会「金沢アートプラットホーム2008」のキュレーションを行った経験から、このシャンブル・ダミ展に注目し調査した。その際、関心の中心は以下の二点にあった。一つは、従来は観客の立場にあった市民が、どのように展覧会のつくり手として参加し、そのことが彼らに何を残したか。もう一つは、主に地元アーティストが中心となって、どのように同時開催の別の自主的な展覧会を企画し、そのことが何を残したか。

シャンブル・ダミ展では、主催者、アーティスト、観客の三者だけではなく、部屋を会場として提供した人たちや監視スタッフ、会場をつなぐタクシーサービスなど、さまざまな立場で市民が展覧会のつくり手として関わっていた。例えば、当時若手建築家であったロブレヒト・エン・ダムは自宅を提供し、ニエーレ・トローニの作品を公開した。私が二人に行ったインタビューによると、展覧会期間中、シャンブル・ダミ展に参加していたホアン・ムニョスなど多くのアーティストと親交を深め、その後のアーティストとのコラボレーションに続いていると言う。ほとんど毎

アンチシャンブル展会場風景
［同展コーディネーター Piet Vanrobaeys 保管の紙焼きより複写。撮影者不明］

日のように料理をして、家にアーティストを招いていたそうである。それは、シャンブル・ダミ展のアーティストにとどまらず、以下で述べる同時開催の展覧会のアーティストも含まれる。シャンブル・ダミ展の経験が自らの建築の設計に直接影響を与えてはいないと語るが、社会的なネットワーク形成には大きな役割を果たしたことを認めている。

一方で注目すべきは、同時にゲントで行われたアンデパンダン展「アンチシャンブル」である。インタビューに答えた多くの人は、シャンブル・ダミ展を、この夏同時に街中で行われた他の三つの展覧会「イニティアティーフ'86」、「イニティアティーフ・ダミ」、アンチシャンブル展と一体のものとして経験、記憶していた。アンチシャンブル展は、国際的に活躍する作家が多く出品したシャンブル・ダミ展に対して、同展への参加の機会が無かったゲント在住の作家たちが企画したものである。廃墟となった工場跡地を会場に、約二〇〇人の作家が参加した。「アンチ」には

「反」という意味もあるが、「アンチシャンブル」という言葉には、神殿などにおける「前室」の意味もある。中でも、屋上に小屋をつくり、展覧会終了後もそこに住み込んだティエリー・デ・コルディエの作品を記憶している人が多かった。当時、デ・コルディエは、ゲントでは多少知られていたものの、国際的には無名だった。イニティアティーフ'86展のキュレーターの一人であったカスパー・ケーニヒは、アンチシャンブル展をきっかけにデ・コルディエを見いだし、翌一九八七年のミュンスター彫刻プロジェクトに招待した。これがデ・コルディエの国際的なデビューとなった。このことからも、ゲントの作家が企画運営した展覧会が、シャンブル・ダミ展や他の展覧会と共に、作家やキュレーターが出会うプラットホームの機能を果たしていたことが分かる。

もちろん、これらのプロジェクトに関わった市民は、若手のアーティストであったり、それ以前から美術に関心を持っていたり、建築家であったり、美術を学ぶ学生であったり、市民全体から見ればごく一部の、美術の世界に近い人たちに限られていた。また、当然ながら、必ずしもすべての事例において展覧会が有効に働いたわけではない。私がインタビューを行った中でも、部屋を提供してもさほど大きな影響をその人に残さなかった例もある。一方、部屋を提供した、当時ゲントの美大の学生であったヨハン・グリモンプレは、国際的な美術界がゲントや彼の生活に「侵略」してきたように感じると共に、アーティストの選択や作品の設置に部屋の使用者は関わる事ができず、「疎外感」を味わったと語っている。

しかし、このような留保を意識しつつも、展覧会への参加、協力を通じて、街の中でなんらかのクリエイティブな活動を行おうとしている人たちの間で、その後その人たちが主体的に活用できるような社会的ネットワークが生み出されたことは、歴史的に正しく認識されるべきだと思う。なぜならば、今日の街と美術の展開の鍵を握っているのは、行政が主導する美術館でも、個人としての観客でもなく、社会的ネットワークを持ったクリエイティブな人々だと考えるからである。今日、街中での展覧会において市民参加が強調され、さまざまな試みが行われているにもかかわらず、残念なことに、街中での展覧会の歴史を語る際には、なおも、「美術館の外へ」という空間的・場所的な視点から語られる場合が多い。街中の展覧会の歩みを、従来の空間モデルではなく、主体モデルによって新たに書き換えることが必要だ。

この書き換えを通じて、シャンブル・ダミ展は、展覧会の歴史において、市民参加を促した先駆的な展覧会として浮上してくるであろう。そして、この新たに書かれた歴史に裏付けられることにより、今日市街地で行われる展覧会を評価する際には、サイト・スペシフィックな作品が生み出されたかどうかではなく、将来美術を受け入れる場となりうる人々のネットワークが残されたかどうかを重視することが明確化するだろう。未来へのプロジェクトは、常に歴史の書き直しと一体のものである。シャンブル・ダミ展を含む、主体モデルによる街中の展覧会の歴史を描いていきたい。

（二〇一〇年二月一日号）

ソーシャルメディア時代の工芸

ゲントから金沢に戻って以降、第一回金沢・世界工芸トリエンナーレの準備に当たっている。トリエンナーレのディレクターは、金沢21世紀美術館館長の秋元雄史（当時）で、キュレーターは秋元を含む五人。主催は金沢21世紀美術館ではなく、金沢市と金沢市工芸協会による開催委員会である。私は、その事務局で、キュレーション周りのコーディネーターをしている。チームをつくって街中に仮のオフィスを借り、輸送、展示の手配やカタログの作成、広報を行っている。

金沢に来て十年以上経つが、これまで仕事としては工芸に直接関わってこなかった。トリエンナーレがきっかけとなって、工芸について勉強し始めたが、いろいろ新鮮で楽しい。中でも一番楽しいのは、作家／職人の工房を訪ねることだ。もともと、アーティスト、デザイナー、建築家とジャンルを問わず、仕事をされている現場を見せていただくのが大好きで、「キュレーター」をしているのは、ほとんどそのための口実だと言ってよい。それが工芸の作家／職人だとなおさらだ。小学生の時に、パン工場に社会科見学に連れられた時の驚きそのままである。ここ三カ月ほど、何も知らないことをいいことに、作家のところを訪ねては、道具から材料から、なんでも聞いて、見せていただき、最高の幸せである。

先日は、金沢の二俣という地域で伝統的な紙漉きを続けている斎藤博を訪ねた。斎藤は、紙の原料となるコウゾを育てているが、そのコストは、タイから輸入する場合と比べ、十倍にもなるという。また工場で生産する紙は、コウゾやミツマタの皮を取らずにつくり、化学的に漂白するが、斎藤の場合は手で皮を剥ぎ、化学的な薬品を使わない。それにかかる手間は大きい。しかし、化学変化を使わずにつくった紙は経年変化に強いそうである。自家製のコウゾとタイで生産されたコウゾの品質の違いまでは私には分からなかったが、農薬の使用に関する信頼性の問題かと思われる。どんなに手間暇をかけても、自分が信頼できるものだけを使って紙をつくるという姿勢には感銘を受けた。しかし、果たして誰がそこまでのハイスペックの紙を必要とするだろうか。コストがかかるため、生産者の数が減っている。いまは二俣で和紙を漉いているのは三人である。

いま、これからの工芸について、私が仮説的に考えていることは、工芸は作家性の高い単体の作品で勝負すべきではない、ということである。むしろ、匿名的に別の体系の中にプラグインする方法を取るべきではないか。それには、二つの方向があると考えている。一つは、超高級な製品の一部に使われることを目指すという方向。もう一つは、ライフスタイルの一部としての工芸品をプロモーションするという方向である。

前者の例として、斎藤の和紙を文化財の修復に使えないか、と考えてみた。斎藤の工房を伺ったきっかけは、ゲントの作家が金沢を訪ねていて、和紙に関心を持っていたことである。そのゲントの作家は、コンテンポラリーアートの作家であると同時に、修復家としての仕事もしていて、和紙がヨーロッパ中世の写本や地図の修復に使われていることを教えてくれた。これから何世紀も残さなければならない文化財のためならば、たとえ一枚何千円もの値段でも、いっさいの化学的な加工プロセスを排除した、変化の可能性が低いと信用できる、手漉きの和紙を使用する価値はあるだろう。この場合、修復された写本において、和紙の存在は見えない。つまり、鑑賞される工芸とは反対の方向性で、それが「プラグイン」という言葉で私が言おうとしたことの意味である。非常に狭い市場ではあるが、ロングテールのマッチングによるブランド化は、最高級の材料の生産と技術を残す道であると思われる。

後者の例としては、金沢のライフスタイルを地域ブランドとして発信し、その一部として工芸を位置づける方法である。これには、最高級の材料や技術である必要はない。むしろ、街の人たちの、丁寧な生活を大切にするという態度自体が重要となる。具体的には、お互いの身近なところに、ガラスの作家、陶器の作家、料理人、お茶を習っている人、建築家、造園家、パン屋、菓子職人、個性的なショップ店主などがいて、しばしば集まっては、おいしい食事を食べたり、お酒を飲んだり、お茶をしたりしながら、情報交換したり、教え合ったりする関係がつくられているという状況を、地域コミュニティの魅力の核として認識する。そして、友達の店で買い物をしてお酒を飲み、友達がデザインした服を着、友達が改修した家に住むというライフスタイルの一部として、工芸品を組み込むのである。このような工芸の位置づけが二つ目の「プラグイン」の方向性である。

ライフスタイルを地域ブランドの重要な柱として提起しているのは、加藤正明である[1]。例えば京野菜がブランドを確立できた理由を加藤は、おばんざいという庶民の伝統的な習慣、そしてそこから連想される京都のライフスタイルとうまく結びつけられたからだと言う。金沢においては、岩本歩弓の編集によるガイドブック『乙女の金沢』や、新竪町商店街のコミュニティが、この「ライフスタイルの中の工芸」という方向性を示している。

「プラグイン」による二つのブランド化の方向性は、片や最高級の素材と技術のプロフェッショナリズム、片や参加型アートに近いアマチュアイズムと、正反対の方向を示しているとも言える。だが、この両者に共通するのは、作家性の低い少数生産ということである。かつてならば、少数生産品は、作家性を高めることによってしか、市場で生き残ることができなかった。しかし、インターネットが引き起こしたメディアの転換、すなわち、大量生産品と少数生産品がフラットに併置される状況の出現によって、作家性を必要としない少数生産品が存続可能となるだろうと期待している。ソーシャルメディアが、ますます少数生産品に関する情報の流通を容易にするであろう。

今後、この仮説をさまざまなアクションを通じて検証してゆきたいと思っている。

（二〇一〇年五月一日号）

注

［1］加藤正明『成功する「地域ブランド」戦略』ＰＨＰ研究所、二〇一〇年

「冨井大裕　つくるために必要なこと」展

このところ金沢の街にもコンテンポラリー・アートの拠点が増えてきたが、その中の一つに、金沢美術工芸大学が市中心部のファッションビルの一角を借りて運営するギャラリーがある。オープン以来、菅木志雄、木下晋に続く三回目の展覧会として、冨井大裕の個展が開催されている。

冨井は一九七三年生まれの若手で、身近な日用品を用いた作品を多く制作しており、これまでにも埼玉県立近代美術館、ギャラリーαM、所沢ビエンナーレなどで発表している。今回の金沢での展示は、旧作六点と新作一点で、すべて床に直接置かれた立体作品である。エアキャップ、ストロー、ハンマー、スーパーボール、クリップなどのありふれた日用品を組み合わせて、作品を構成している。旧作と新作はやや傾向が異なり、旧作では、一つの作品に用いられる日用品は、ハンマーならハンマーだけ、エアキャップならエアキャップだけ、というようにだいたい一つか二つに限定されている。そして、それらの日用品同士は、何か別の素材によって接合されるのではなく、ただ積み重ねられたり、併置されたり、あるいはお互いがお互いを支えたりという仕方で組まれている。つまり、再びばらばらにすれば、そのまま、ハンマーはただのハンマーに、スーパーボールはただのスーパーボールになる。では、その日用品同士を「接合」させているものは何か。それは、その並び方、組み合わせ方自体がつくり出す規則

冨井大裕展、展示風景。〈左・手前〉《ball sheet ball》2006年　〈右〉《joint (ball)》2005年
［撮影：柳場大　© Motohiro Tomii, Courtesy of Yumiko Chiba Associates］

である。例えば、柄の短いハンマーが横に三つ、その横に柄の長いハンマーが縦に一つ、というように、並び方に規則がつくられる。その規則により全体が成り立っている。重要なことは、その規則が作者によって恣意的に与えられたものではなく、素材となる日用品が持つ性質、例えば、ハンマーの形状の縦横比から引き出されていたり、倒れない、といった重力と素材との関係によって生まれてきたりしていることだ。

もちろん、作家はさまざまな点で、作品に細かいコントロールを与えている。例えば、全体の大きさがそうだ。日用品を規則に従って配置してゆけば、原理的にはどこまででも拡大可能である。しかし、作品を見る人との関係で、それが、「大きい」ということに価値を持たない程度のところで止めているのだ。つまり、「よくここまでつくった」という感想を抱かれること、技巧として見られてしまうことを周到に避けている。

一方、新作においては、床に一二枚の正方形の板をク

冨井大裕《board works》2010年［撮影：柳場大 © Motohiro Tomii, Courtesy of Yumiko Chiba Associates］

ッションに載せて並べ、それぞれに異なる操作、例えば、紙を貼ったり、半分に切断して蝶番で止めたり、ハンガーを引っ掛けたりということを行っている。作家は「板芸」と説明していたが、正方形のコンパネを使うというルールを、作家がまったく恣意的に設定し、それを使って考えられる操作のバリエーションを見せている。この場合の「正方形の板」という規則は、作家から来たもので、旧作においてて規則が作家以外のところから引き出されていることとは対照的である。しかし、たまたま四角だが、別に丸でも構わないという完全な恣意性が貫かれていることで、逆に作家の意図は消去されている。

私は冨井の作品を見るのは今回が初めてだったが、いずれの場合も、作品が作品として成立するかどうかのぎりぎりのところを探ろうとしているのを感じた。その点で、還元的なモダニズムの美術を正統的に引き受けようとしているように感じられる。旧作と比べると新作はまだ洗練の余地はあるものの、一貫した関心が異なる手法で展開されているその幅は頼もしく、今後の展開を楽しみに追い続けたい。

（二〇一〇年八月一日号）

岩崎貴宏展

著者もメンバーとして参加している非営利団体CAAK: Center for Art & Architecture, Kanazawaの企画で、岩崎貴宏の展覧会を行った。岩崎は、これまでにも森美術館や水戸芸術館でも作品を発表しており、昨年(二〇〇九)のリヨン・ビエンナーレにも参加。今年(二〇一〇)のバーゼルアートフェアでも好評を博した広島在住の作家である。

金沢青年会議所の主催によるイベント「かなざわ燈涼会」の一環で、金沢市尾張町にある町家が会場となった。明治後期に建てられたと推定されるこの町家は、加賀友禅の袋物を扱う老舗「木倉や」を経営する伊崎氏の所有で、ここ十年ほどは使われていなかった。先代の雅号から「楳荘」と名付けられたこの町家は、先代が六十歳で引退した後、文人画を描いていた場所で、いまも多くの作品が残されている。

今回岩崎が展示したのは、三点。それぞれ、蚊帳、布団、雑巾を使った作品である。入口から入って最初に目に入る布団の作品は、暑さで寝苦しかった人が抜け出したそのままであるかのように無造作に布団が敷かれている。しかし、近づいて注意深く見ると、布団から小さな四本の鉄塔が建っていることに気づく。この鉄塔は布団カバーの繊維を引き抜いてつくったものだ。鉄塔の存在に気づいた途端、布団全体の起伏が、山の風景のように見えてくる。

その奥の部屋には、青いネットの蚊帳がつり下がっている。蚊帳の上部には、同じ手法で蚊帳から引き抜いた繊

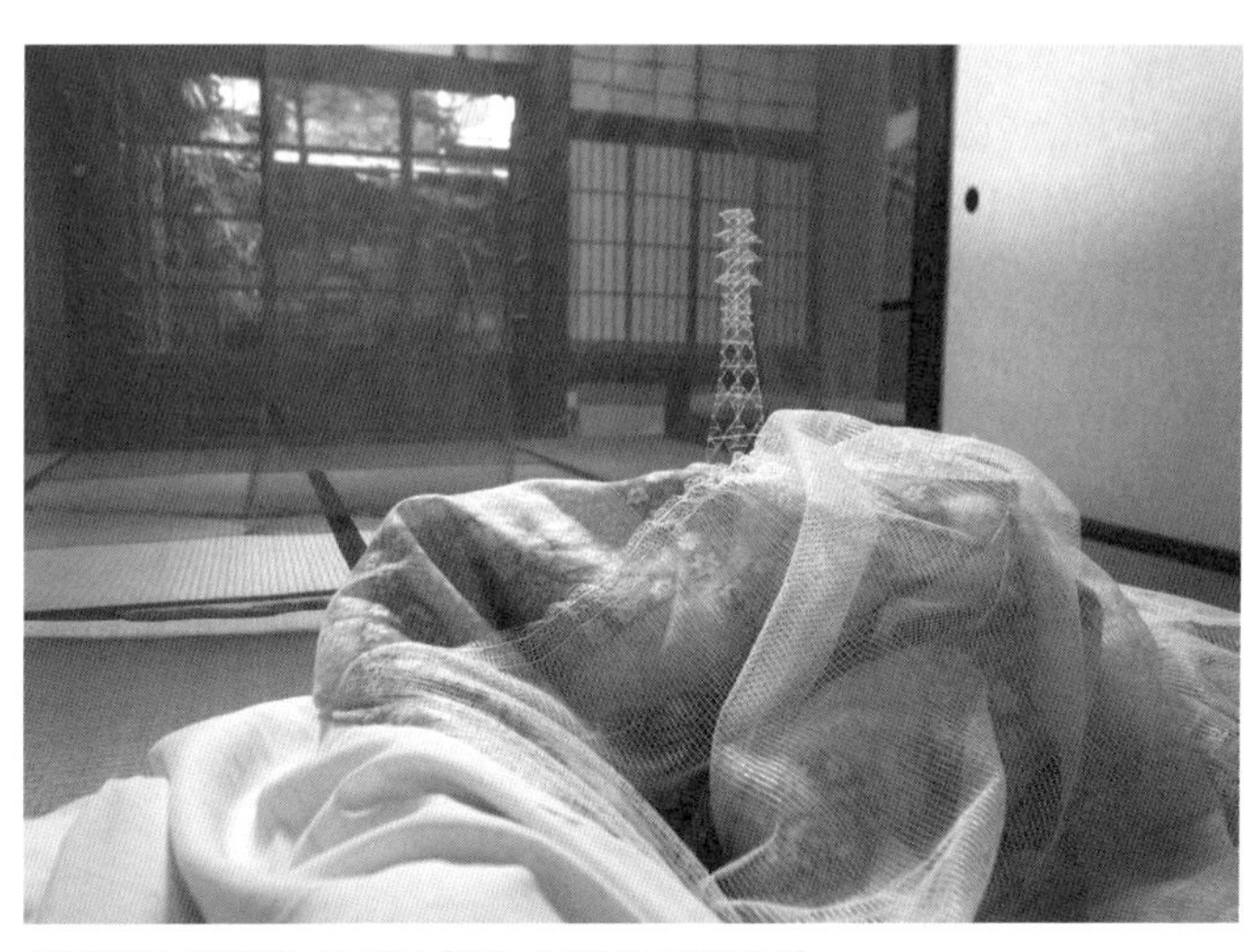

岩崎貴宏展（2010年）展示風景［撮影・写真提供：岩崎貴宏］

維でつくったクレーンが二機、立っている。蚊帳と工事現場のイメージが二重写しにされる。

伝統的な和の文化とは対極にあり、景色や町並みの中に突如現れて調和を乱す無骨な鉄塔や工事現場のクレーンだが、それらはどこにでも見られる典型的な日本の風景でもある。日常となったその風景を、価値判断を留保し、むしろ愛情を持って、少し引いた視点から眺めるような軽妙さが岩崎にはある。そして仮設性、軽妙さが、蚊帳という簡単な和のしつらえと共鳴する。

部屋の奥にある床の間には、雑巾を使ってつくった作品が置かれている。この雑巾は、展示作業の初日、町家の掃除に使って真っ黒になったものである。それを使って半日で即興的につくったのがこの作品である。雑巾からは同じく糸を引き出してつくった松が伸び、小屋が建っている。

私は今回この町家を用いるにあたり、先代・楳荘の描いた絵もどこかに展示したいと考え、床に掛けてあった楪荘の軸を残した。それは、松などの緑の中に、赤い建物を描いた文人画であった。岩崎のつくり上げた雑巾の風景は、床に掛けた軸の絵から生まれたイメージである。建物が積み重ねて来た歴史と、岩崎の展示とが床の間で軽やかに接続された。家の細部や、庭の石、そして残された道具などを見ていると、楪荘が遊び心にあふれた人物であったことが随所に感じられる。その家に迎え入れられ、時を超えた楪荘と岩崎の出会いに立ち会えたひと時は、この夏の幸せであった。

（二〇一〇年八月一日号）

「生活工芸」展

今年（二〇一〇年）一〇月、金沢21世紀美術館の市民ギャラリーを会場に「生活工芸」展が開催された。チーフディレクターは金沢のガラス作家である辻和美で、「生活工芸」というコンセプトに沿って、選者一八人が選ばれた。各選者は、自分が生活の中で使っている道具からそれぞれお気に入りを、一五点程度を選び出品した。机を規則的に中央に配した会場構成は、すっきりと端正にデザインされていたし、リトルモアを通じて一般書店にも流通するカタログも、泊昭雄による統一した写真を中心に据え、柔らかな手触りの紙を用いたものだった。サインを含め、全体に統一感のあるデザインが行き届き、丁寧につくられた展覧会であった。ひとえに、辻を筆頭とするディレクターチームの日頃からのネットワークと経験の賜物であろう。辻は、制作の傍ら、ギャラリーとショップを運営し、全国から多くのファンを集めている。

しかし、展覧会に、若干の居心地の悪さを感じないわけではなかった。さまざまな職業、専門分野を持つ選者の選んだものを見てゆくのは発見もあり楽しいが、全体として質の高いロハス的な趣味に統一されすぎており、『ku:nel』などスローライフ系の雑誌を見ているようであった。実際、会場に来ている人たちも似たような人たちが多い。

こうした感想を抱きつつ、関連のシンポジウムを聞いた。パネリストは、辻のほか、展覧会の選者より三谷龍二、平松洋子、千宗屋の四人。使い手としての平松の「生活工芸という言葉は、道具を使う人にとっては当たり前すぎて意味をなさない」という発言に逆照射され、「生活」というキーワードが、辻、三谷といったつくり手に取ってこそ重要だという構図が浮かび上がる。つまり、「生活」は「芸術工芸」に対するカウンターとして初めて生きてくるのだ。ところが、「生活工芸」展では、使い手である選者が、「生活工芸」を、自分のために使うものとして受け止めてしまった。そのことにより、工芸の世界で作品をつくってきた辻や三谷の感じる、自らが引き裂かれるようなリアリティ、つくり手が「生活工芸」という言葉を掲げた時の緊張感とダイナミックさが失われ、単に自分たちの趣味を再確認し、強化するものに陥ってしまった。「生活工芸」展は、「芸術工芸」の作家にこそ見せるべきだったろう。両者の断絶の大きさを考えると、一つの展覧会の中に「生活工芸」と「芸術工芸」を共存させるなど、両者を出会わせる仕組みをしたたかに構想するといった高度な戦術も必要である。

一方、茶道の武者小路千家の宗屋が別の可能性を示していた。千はシンポジウムの中で、生活の中に緊張感を、ハレの場を、と強調していた。その主張を私なりに解釈すると次のようになる。すなわち、道具の使い手である亭主は、道具を自分のために使うのではなく、客をもてなすために用いる。自分の好みは、客と共有できない危険性を常に伴う。そこに緊張感が生まれると。例えば、千は自ら選んだ釣瓶の水差しを「器の否定」だと言う。亭主が所有し、愛玩し続ける道具ではなく、井戸から汲み上げたそのままの水を表現する。水を客に送り届けることを最上の目的とする中で、道具は自らを押し殺す。

つくり手は自らの主張を抑えて使い手のことを考え、使い手は自らの好みを殺して客のことを考える。この先送りの構造、贈与の構造と言い換えてもいいかもしれないが、これがつくり手に対しては、「生活工芸」という概念で示される。しかし、使い手に対しては、「生活工芸」という概念は、この先送りの構造を取らず、機能しない。使い手にとっては、むしろ「もてなし」を意識した方が、先送りの構造の持つ緊張感が示されるように思う。

「芸術工芸」と「生活工芸」の間に接点を設けることは、いまの金沢、ひいては日本の工芸にとって重要な意味を持っている。宣言としての展示に終わることなく「芸術工芸」の作家に見せる仕掛けを組み込み、しぶとく接点を探ること、そして、生活の中心に「もてなし」の観点を導入すること、この二点が「生活工芸」の次なる課題であろう。

（二〇一〇年一一月一日号）

金沢クリエイティブツーリズム

この秋より、「金沢クリエイティブツーリズム」という活動に関わっている。普段一般公開されていない場所を含め、街の観光資源を発見し、見て回る方法を実験しようというものである。金沢美大の先生やまちづくりを仕事にしている人、ＮＰＯ関係者、ガイドのボランティアをしている人たちが集まってグループをつくり、実施している。その中で、茶室や町家、近代建築などの建築と共に、アーティストのアトリエを訪ねることができないかと考え、実施方法を模索中である。いまのところ試みているのは「オープンスタジオ」と「アトリエ訪問」という方式。「オープンスタジオ」は、公開日を設定し、その日に、各自が地図を持ってアトリエを訪ねてゆく方法で、一〇月半ばの週末に最初のオープンスタジオデーを開催した。「アトリエ訪問」は、参加者を一五人募集して市内の作家を訪問する方法で、一一月に最初の訪問を行う。どちらも訪問先の作家のポートフォリオをアーカイブ化し、武蔵ヶ辻にあるアートスペース「金沢アートグミ」の一角をお借りして公開することも目指している。

このようなアイディアの背景には、昨年（二〇〇九）、ベルギーのゲント市にある現代美術館S.M.A.K.にスタッフとして半年間在籍した時の経験がある。その中で大いに見習いたいと思ったことの一つは、S.M.A.K.の館長とキュレーターたちが、ゲント市内や近隣都市の作家のアトリエを定期的に訪ねていたことである。私もよく同行させてもらい、ベルギーの作家を知ることができた。その場で意見を求められ、自分なりの感想を瞬時にまとめる経験はたいへん勉強にもなった。だが最も刺激を受けたのは、彼らが展覧会を目的として、良い作品を選び出すような姿勢ではなく、どんなときも常に作家と寄り添い、一定の距離を保ちつつ、作家の試行錯誤を共に見続ける姿勢を取っていたことである。街のキュレーター、かくあるべしと自分を戒めると共に、それをシステムとして共有することが有効だと考えたのが、このオープンスタジオとアトリエ訪問というプログラムである。今後どのように展開できるかは未知数だが、じっくりと取り組んでゆきたい。

（二〇一〇年一一月一日号）

原叟床

最近、金沢の茶道の歴史について調べている。唐突に思われるかもしれないが、その背景には次のような思いがある。金沢に美術館ができた。ＮＰＯも頑張っている。あと必要なものは何か。個人コレクターである。

一昨年（二〇〇九）、ベルギーのゲントに滞在してから、そのことを強く感じている。個人コレクターといっても、金持ちが有名な作家の作品を集めているというタイプではなく、地元の若い無名作家の作品を直接作家から譲ってもらい、家に飾っているようなコレクターである。この問題意識を共有しているアーティストもいる。例えば、中村政人や椿昇で、二〇〇八年に行った金沢アートプラットホームでは、中村政人は若い作家の作品のレンタルシステムを試みた。しかし、彼らのアクションは、販売流通のシステムを整え、障害を取り除くことに重点が置かれている。ゲントでの経験を通じて私は、売る側の問題だけではなく、むしろ、買う側のライフスタイルの問題が大きいと考えるようになった。

では、どのようなライフスタイルか。それは、人を家に招き、もてなすというものである。そのために最も重要なことは、労働時間の短縮である。夜遅くまで仕事して、疲れて自分の食事をつくる気もしないような状況では、人を家に招く気にはとてもなれない。ゲントでは、だいたい夕方五時くらいには仕事を切り上げる。時間に余裕ができれば、高い外食ではなく、家で人と食事をするということになろう。幸い、東京などと比べると金沢は家賃が安く、中心部に近い場所でも数万円で一軒家が借りられる。人を家に呼ぶようになると、部屋を整えたくなる。ゲントでも、二十代、三十代の若い人たちが、友人や知り合いの作品を部屋に飾っている。そこで初めて、若手作家の安い作品と買い手をつなごうとする中村や椿のシステムづくりが有効となる。そのライフスタイルの中から大コレクターも現れてくる。実際ベルギーにはコレクターが多い。美術館のスタッフ室やカフェにもしょっちゅうおしゃべりに来ているし、美術館に寄託している作品も多い。

ベルギーと金沢の違いももちろんある。金沢で中心部に近く、人を招けて、若い人が安く借りられる一軒家といった場合、それは、デザイナーズマンションのような白くモダンな空間ではなく、古びた小さな日本家屋ということになるだろう。そのような空間での美術を考えようとすると、美術館に飾られるような美術よりも、もっと生活に近いものとなるだろう。

一方で、CAAKなどのNPO団体で、レクチャーとパーティを組み合わせたイベントを繰り返し開催してきた経験を通じて、こうしたイベントは、個人が主体となることも充分可能ではないかと感じている。個人の家を「アートスペース」としてでっち上げ、そこでの飲み会をウェブサービスを使って中継するような試みである。

いずれにせよ、個人の家に人が集まるという習慣がつくられていくことが重要だと思う。その中で、生活に根ざした美術に対する意識が深められ、美術作品が身近なものとなってくる。茶道の歴史を調べているのは、茶道が、人を家に招き、楽しむ習慣であったと思うからである。

さて、今回は、金沢の茶道の歴史を調べている中での一報告として、「原叟床（げんそうどこ）」を紹介したい。原叟床とは、一畳分の地板を敷き、その少し内側に入った位置に床柱を立て、落し掛けをつけ、床の脇壁を吹き抜いた形式の床である。表千家六代・原叟宗左（覚々斎）の好みとされる。もちろん金沢に限った形式ではないが、しばしば代表例として、金沢の兼六園内成巽閣の茶室、清香軒が紹介される。清香軒は、一八六三（文久三）年に十三代加賀藩主・前田斉泰が母・真龍院のために建てた三畳台目の茶室である。台目一畳分の床の地板を合わせると、四畳半の平面となる。

原叟床の効果として、例えば、「床を孤立させることなく室内と一体化させ」ることが挙げられる。特に、清香軒においては、床壁の入隅の下の方を塗り込めて楊枝柱にしていること、相手柱を省略していることも、掛物から客座への連続性を強める要素として指摘されている。さらに、清香軒においては、床の向かい側にある引き違いの躙（にじ）り口や、水の流れも引き込んだ深い軒下によって、客座と外部との連続性も強められており、原叟床が生み出す、

清香軒［出典：〈左〉『金沢の茶室』金沢市、2002年、104頁　〈右〉『金沢市史 資料編17 建築・建設』金沢市、1998年、282頁］

床と客座との連続性が、茶室全体に一貫している[1]。このように、原叟床の特徴が、茶室全体から細部に至るまで統一されている完成度の高さゆえに、清香軒は原叟床の代表例として挙げられるのであろう。

しかし、私は、これとはまったく逆に、原叟床の持つ、別の機能に着目してみたい。それは、既存の座敷を茶室に転用するのに適しているという点である。部屋の外に突き出した床とは異なり、原叟床の場合は、部屋の内部だけで改装が完結する。堀内宗心は、原叟の時代（享保）には、町人層の茶道への参加が広がったと言う。堀内は、「ふつうの部屋の中に床を作り、茶室に改造していくという『原叟囲』という茶室があります」と発言している[2]。独立した茶室を確保するのが難しい密集した町人の居住エリアにおいても、六畳などの部屋を茶室に改修して用いたというのは想像に難くない。

かつては金沢市竪町にあった山川家の町家にも、原叟床を持った五畳の茶室がある。山川家は、現在、石川県立美術館に所蔵されている野々村仁清作の雉の香炉の寄贈者としても有名である。幕末のころ建てられたと推測される山川家の町家は、一九六七年に竪町より市内の江戸村へ移築された。この町家には、四つの茶室があり、最も有名なのは、草庵風の二畳台目の茶室「通楽庵」である。通楽庵を含む三つは、道路に面した土蔵の裏に回り込むかたちで裏の庭側に設けられている。土蔵を通りに面して建てるという、大店（おおだな）ならではの構成により、奥座敷から座敷庭を経由して席入りできるようになっている。一方、原叟床のある茶室は、通りに面した六畳の部屋が充てられている。そして、この部屋の前の二間分を出格子として、その側面の戸から入ることのできる露地にしている。さらに、この六畳の横に二畳の水屋がつくが、それを合わせると、八畳の平面になる。この茶室が、建物建築当初からのものか、後の改修によるものかは不明だが、通常「ミセ」に使われることの多い通りに面した部屋を茶室に充てている。

山川家のように大きな町家は現在にまで残されたが、独立した茶室をつくれないような小さな町家はなかなか残らない。しかし、原叟床という形式を通じて、町人が自宅の一室を改修して、茶事を楽しんでいた様子を想像することができる。それにより、狭い住環境においても工夫して人を自宅に招き、遊んできた歴史を感じ取る楽しみがある。それが、たとえ清香軒や通楽庵のように完成度の高いものでなかったとしてもである。

このような町人の遊びの工夫を引き継ぎつつ、狭い家でも人と遊ぶことを試みることが、いま求められていると思う。街の個々人の楽しみが、美術館やＮＰＯと共に、美術の現場となれば、相互に補完しながら、地域に根ざした美術の環境を豊かにしてゆくことだろう。金沢ではそれが可能だと考えている。

（二〇一一年二月一日号）

注

［1］池田俊彦『金沢市史　資料編一七　建築・建設』金沢市、一九九八年、二八二頁

［2］堀内宗心『私の茶乃湯考』世界文化社、二〇〇〇年、九三・一四九頁

町家掃除と原発事故

金沢で古い町家を買った。長く桶職人が住んでいた家で、仕事場だったミセ（道路に面した部屋）には多くの道具や材料が残っていた。側面の板を割り出す「ヘギ」という道具や、曲面に削りだす鉋など、桶屋特有の道具もあった。トオリニワには、箍にするための長い竹がつり下げられ、たくさんの板材があった。古い小箪笥から出てきた新聞の切り抜きによると、金沢で最後の桶職人だったようだ。

町家と関わるのは今回が初めてではない。二〇〇七年のアトリエ・ワン「いきいきプロジェクトin金沢」では、町家の調査を行い、ガイドマップ「金沢、町家、新陳代謝」をつくった。自分も設立メンバーの一人であるCAAKも町家を拠点としているし、二〇〇八年の「金沢アートプラットホーム」では再びアトリエ・ワンと町家の改修を行って、まちやゲストハウスを発足させた。そして自分自身も町家を借りて住んでいる。

そうした関わりの中で、町家が、町人、すなわち、商人や職人の仕事場兼住居であるということを知ってはいた。しかし、「ミセ」については、その名称に引きずられて、製品を売っている場所というイメージしか持っていなかった。いまもときどき見かける金物屋さんのように、通りに面した土間に、たくさんの商品が並んでいる場所。そのため、家の裏の方で商品をつくり、それを通りに面したミセで売っているように想像していた。

だが、購入した町家は、ミセが加工場であった。桶屋さんのご子息である前所有者によると、桶を売ってもいたという。家の前の道で、酒造用の大きな桶をつくっていたと隣の方に教えてもらった。売っていた場所なのか、つくっていた場所なのか、想像しきれないまま改装のための片付けを始めたが、懐かしそうに覗き込んで「昔ここで桶を直してもらった」と声をかけてくれる通りがかりの人が幾人かいた。それで気づいたのは、かつては、新しい商品をつくることよりも、修理の比重が高かったということである。いまのように、大量生産した製品を流通させ、使い捨てるというわけではなかった。大工道具に関する本の中でも、このような発言を見つけた。

もともとは目立て屋さんが、いろいろな道具を売ってたんです。一般的にいえば、売るだけという店はない。目立てをする人が道具を後ろに置いておくという形です。[1]

目立てとはのこぎりの歯を研ぐことだが、それと同じように、桶屋は、酒屋から発注された桶などをつくりながら、近所の人たちの、桶という日常的な道具のメンテナンスを受け持っていたのだ。道に面した加工場であるミセで桶屋が仕事をしているところに、緩んだ桶を持って行って直してもらったのだろう。

さて、ちょうど町家の片付けに手をつけ始めたころ、東北で地震が起き、福島の原発で事故が起きた。金沢は幸いにも直接的な被害はまったく無かったが、さまざまなニュースに接するうちに、少なからず自分の価値観や生活態度に影響を受けた。それは主に電気に関してだった。普段どのようにつくられているか意識することも無かった最も基本的なインフラである電気が、実は脆弱で、不安定で、危険を誰かに負ってもらいながらつくられているということを否が応でも意識させられた。

特に興味を持ったのは、平井憲夫が、設計よりも施工に、建設よりも運転中のメンテナンスに目を向けていた点である。発電所をつくるにあたり、誰かがネジを締める必要がある。だが、一般的に、どのような施工現場でも、一本のネジをきちんと締めているかどうかまでは、監理者の目の行き届かない部分が必ずあり、職人の仕事に対する誇りに支えられているものだと思う。しかし、原子力発電所のメンテナンス現場は、職人が誇りを持って取り組めるような現場なのだろうか。

職人が誇りを持てるかどうかは、その仕事や業界が輝いていることも重要かもしれない。人に自慢できるような仕事であれば、やりがいもあるだろう。しかし、もっと重要なのは、使う人と職人が、お互いに顔の見える継続的な関係であるということではないだろうか。直し続けて使うという文化が失われ、誰がつくったか、誰が直したかが分からない関係では、職人も誇りを持って仕事に取り組むことが難しいと思う。それが大量消費の使い捨て文化であり、その最も純化されたものが電気である。電気は、誰がどこでつくったものか分からないし、使ったら終わりである。その匿名性において、同じエネルギー源でも炭などとは決定的に異なるものである。しかしながら、実際には、どこかで誰かがボルトを締めないと生まれない。このギャップにこそ、最大の危険があるのではないか。このギャップは電気に最も象徴的に示されているが、いまの社会のすべての局面で言えることだろう。そしてそれはもはや容易に変えられるようなものではない。原発の事故によって、このことを突きつけられたように思う。

同じコミュニティに属する近所の人たちの道具をメンテナンスしていた職人の時代に戻ることはできない。ものをつくっている人と現場を、使う人が想像すること、そして、使う人のことを、つくる人が想像すること、その想像力を鍛えることが重要なのだと思う。その想像力によって少し社会は変わるだろう。そのために日頃からメディアやミュージアムが果たせる役割は大きい。

注

[1] 社団法人 全日本建築士会付属建築道具館編『大工道具の本』理工学社、一九九八年、一一八頁

(二〇一一年五月一日号)

「イェッペ・ハイン 360°」展カタログ

金沢21世紀美術館で開催中の「イェッペ・ハイン 360°」展のカタログを目下制作中である。ハインの作品は、空間との関係もさることながら、観客との関係が重要である。つまり、展覧会の開始時点でインスタレーションとしての作品が完成するのではなく、観客が作品を体験したり、また、作品を触媒として、観客同士の間に新たな関係が生まれたりすることが、作品の一部であるとも言える。それゆえカタログは、金沢でどのように人々がハインの作

品を経験したかを記録するものとした。

展覧会がゴールデンウィークから始まったため、幸いにも当初から非常に多くの方にご来場いただいた。観客の肖像権を守ることに配慮しつつも、できるだけ、観客の反応、例えば、ゆっくりとした作品の動きをじっと注視していたり、ヘッドセットをつけて空っぽの空間を歩き回ったり、鏡と戯れていたりする様子を写真で捉えるようにし、カタログに掲載した。私のテキストでも、金沢の観客の反応を観察し、記述するよう心がけ、それを出発点として論を展開した。すなわち、精神分析における臨床や、文化人類学におけるフィールドワークに近い方法を意識した。もちろん、これまでにも、社会学的な美術館の観衆論の研究成果はあるが、それらの研究は、数量的なものであったり、美術館の観客の社会における偏りを指摘するものであったりすることが多く、観客を一つの集合体と捉える傾向にあるように思われる。それよりも、より質的な観察、ハインの作品を契機として、どのようなコミュニケーションが発生しているかを描写することを目指した。そして、ニコラ・ブリオーとクレア・ビショップを二つの参照点としつつ、ハインを、コミュニケーションや対話を重視する今日の美術の潮流の中に位置づけることを試みた。

カタログには、ハインとSANAAとの対談も収めた。アーティストであるハインと建築家であるSANAAは、分野は異なるが、ともに公共空間への関心が強い。ハインは、美術館の中に作品を展示することと同等、あるいはそれ以上に、美術館の外部の公共空間での作品設置に関心を抱き、美術館に決して足を運ばないような人が、それが作品であると意識することも無い状況で、作品を経験することを大切に考えている。SANAAも、例えば金沢21世紀美術館の建物では、都市に対して公園のように建物が開かれ、その中で、さまざまなグループがそれぞれの活動を行えるような空間を提案している。実際、ハインは、金沢21世紀美術館での個展が決まる前に、美術館を二回訪れており、影響を受けている。例えば、二〇〇九年のARoSオーフス美術館の個展では、広い展示空間の中に大小さまざまの大きさのキューブを仮設的につくり、その間を街路のように回ることができる展示空間とした。金沢21世紀美術館の個展でも、表と裏のない建築のコンセプトによって、そこに展示されるハインの作品が、根本的に変容した。

さらに、デンマークの美術史家、編集者であるピーター・キアクホフ・エリクセンが二〇〇九年のオーフスでのハインの個展のカタログのために書いた文章を、和訳し再録した。エリクセンは、ハインが妹のレアケ・ハインと共にコペンハーゲンで運営しているバー「カリエール」での、レクチャーなどのプログラムを担当し、また、そこで発行しているフリーペーパーの編集を行っている。金沢21世紀美術館での展覧会では、ハインが他のアーティストと協働で行っている、「カリエール」や「サーカス・ハイン」といったプロジェクトについて紹介できなかった。しかし、美術館の外の公共空間と展示室を横断してアーティストとしての活動を行うハインの姿勢は、マーケット指向の作家とプロジェクト指向の作家とが二極化する傾向にある日本の美術界において重要であろう。また、金沢のような日本の地方都市における、美術館という比較的フォーマルな場と、街中のアーティスト・ラン・スペースのようなインフォーマルな場の関係を考える上でも、参照する価値があると考えている。そのため、レクチャーなどの関連プログラムや、『美術手帖』のためのインタビュー[2]では、その部分についても紹介できるよう心がけた。こうした意味からも、ハインと並走してきたエリクセンのテキストをぜひとも掲載し、金沢での「360°」展を中心に論じた私のテキストを補完する役割を担ってもらいたいと考えた。

もちろん、ハインの幅広い活動を紹介する意味だけでなく、コペンハーゲンという例えばベルリンと比較してロ

イェッペ・ハイン《回転する迷宮》2007 「イェッペ・ハイン 360°」展示風景
[Courtesy: Johann König, Berlin, 303 Gallery, New York and SCAI The Bathhouse, Tokyo
撮影：木奥恵三、写真提供：金沢21世紀美術館]

ーカルな都市における、エリクセンの実践的な活動に共感したということもある。エリクセンは、特に《見えない迷宮》(二〇〇五)を例に、ハインの作品が美術館の空間内に独自のルールを設定する点を指摘している。例えば、「ここには見えない壁があり、そこを通り抜けてはいけない」というルールである。そのルールは、観客が破ろうと思えば簡単に破ることができるということを、ミシェル・ド・セルトーの『日常的実践のポイエティーク』(一九八〇年、邦訳一九八七年)を参照しながら、観客の能動性と結びつけている。私は、ルールの設定とそのルールを超越することは、むしろ作品への没入と、そこからの覚醒という二重の視点というテーマ(ブレヒトの異化効果)に関連していると考えており、エリクセンとは見解が若干異なる。しかし、ハインが仮設的に、空間内にもう一つ、内部を持つ空間を設定する点は重要だと考えており、その意味で参考になった。このエリクセンの指摘から想起したのは、むしろ、アトリエ・ワンの塚本由晴の「建築はルールを解除する機能をもつ」という発言である。それは例えば、火を使ってはいけないというルールが設定されている国定公園内で、建物を建てることにより、その内部では火を使えるようになる、といったことである。これまで、多くのアーティストが、美術館という制度を批判的に取り上げ、美術館の制度の限界を可視化する作品をつくってきた。だが、それが、あくまで美術館の制度に寄り添って自己批判的に展示されざるを得ないことを考えると、批判によって美術館という制度との交渉を終わらせ、問題点を棚上げにしているとも言える。一方、ハインの方法は、美術館内に作品という名目で美術館のルールの及ばぬ圏域をつくり出すというもので興味深い。そのようなアプローチで、アートやアーティスト、さらには建築や建築家の役割を考えてゆく際、エリクセンの指摘は参考になると思われる。

カタログには過去の作品図版を含む年譜も掲載した。二〇〇六年にケーニヒ・ブックスよりハインのまとまったカタログが出版されているが、その後の活動をフォローし、また日本語の書籍として初めてのものであることも考慮して、二〇ページにわたる詳細な年譜をつけることにした。ぜひ、カタログを手に取っていただきたい。

注

［1］『美術手帖』六三巻通巻九五五号（二〇一一年八月）。著者が聞き手を務めた。

（二〇一一年八月一日号）

「飯田竜太　再帰の終焉」展

金沢21世紀美術館の横にSLANTというギャラリーがある。そこで展示されていた飯田竜太の作品が面白かった。飯田は、本や紙を使って立体作品をつくる。展示作品の一つに、冊子を積み上げ、一部を地形図のように一枚ずつ切り取った作品がある。切り取った紙は、切り取った部分の反対側に同じく地形図のように逆の順番に積み上げる。こうして、点対称の起伏が出来上がる。ここで面白いのは、切り取った部分のカーブと、盛り上げた部分のカ

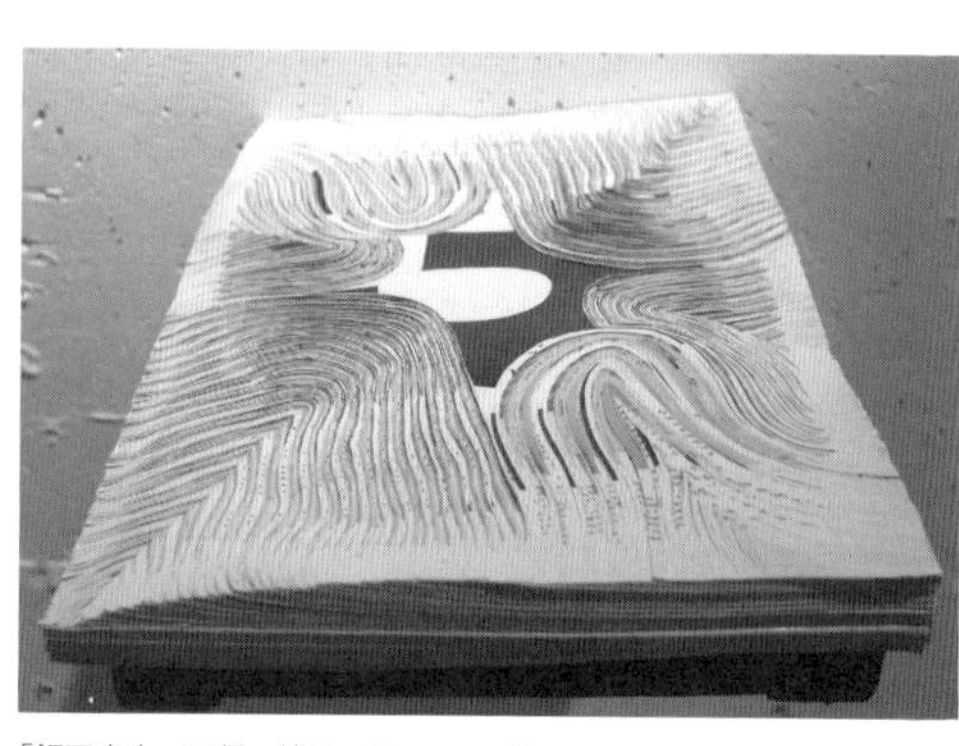

「飯田竜太　再帰の終焉」展示風景［撮影：著者］

「飯田竜太　再帰の終焉」展示風景
［撮影：Noriyuki Ikeda、写真提供：SLANT］

ーブが一致するように工夫されている点だ。それによって、切り抜いた部分と盛り上げた部分が連続し、どこが最初の面であったかが曖昧になる。どのようにつくったのかを解読するようにして見てしまう。

　本展の中心となるインスタレーションも、同じく本を地形図のように切った作品だ。さほど広くないスペースに足を踏み入れると、正面に、半分に切り取られて三角形になった本が、斜めにしつらえた棒の上に階段状に積み上げられている。部屋の奥へと進んで反対側から作品を見ると、使われている本が森鷗外全集であることが分かる。そして、反対側に同じように階段状に積み上げられている紙が、切り取られた鷗外全集の片割れであることも分かってくる。第一巻から順番に積まれているが、よく見るとその切り方は一つ一つ異なり、第一巻の切り口のカーブは、第二巻のカーブへと連続していることに気づかされる。非常に細かい作業である。

なぜ、鷗外全集なのか。作家によると、鷗外の時代は、福澤諭吉や夏目漱石と共に、日本語、とりわけ現在まで続く漢字のかたちがつくられた時期であるという。同じ漢字でも、簡体字、繁体字、そして日本の漢字は異なる。作品の各ページは段状に切り取られていて、書かれた字を読むことはできない。しかし、うっすらと、行があることは分かる。字が解体されて、新しい字が生まれてきているようにも、私には感じられた。

ほかに、本の文字の部分を切り抜き、その文字を球状にしてつり下げた旧作も併せて展示されていた。静謐でストイックな表現の中に、水の波紋のような静かなざわめきを感じさせる作品であった。

（二〇一三年八月一五日号）

「島袋道浩　能登」展（一）

島袋道浩による一年間のプログラムを担当している。二〇〇七年に始まった「金沢若者夢チャレンジ・アートプログラム」という美術館教育のプログラムで、財団法人地域創造の助成を受け、エデュケーターと共に取り組んでいる。一八歳から三九歳までを対象に「メンバー」と呼ばれるボランティアの参加者を公募し、現在、金沢市を中心に、石

〈左〉ロープにかけられたくちこ　〈右〉干しくちこづくりを習う島袋道浩［撮影：筆者］

川県、富山県、大阪府から二五名が集まり活動している。島袋には、金沢で新作をつくり、二つの展示室で発表することを依頼し、メンバーがその過程に参加できるようにしてもらった。

プログラムのテーマは「能登」である。金沢の近江町市場の乾物屋で「くちこ」という、ナマコの卵巣と精巣を干した珍味を知った島袋が、その産地である能登に以前から関心を持っており、能登をテーマとすることが決まった。昨年（二〇一二）の一一月より何度も能登を訪れ、島袋の関心を惹くものを作品の素材として集めている。二月には、森川仁久郎を訪ね、くちこづくりを見学させてもらった。作業は早朝から始まる。近所の方が三人、くちこづくりを行う二月から三月の時期だけ森川のところへ来て、ナマコの内臓を取り出し、四つに分類する。そのうち、卵巣と精巣の部分だけを集めて森川に渡す。森川は専用の箸で丁寧にゴミを取り除き、オレンジ色の繊維状のくちこを、四角い木枠にぴんと張ったロープに掛けてゆく。

ボランティア・メンバーによる間垣見学ツアー

ロープに掛けられたくちこは、重力で自然と三角形になるが、掛け方によっては下が半分に割れてしまったり、一部の繊維が落ちてしまったりする。森川が「地球との戦い」と表現するように、端から見ているよりも難しい作業である。四月には、展示室で、森川にくちこづくりの実演とトークをしてもらった。

また、輪島市の大沢、上大沢という集落には、間垣という竹垣が残る。能登半島は、日本海側に面する「外浦」と富山湾に面する「内浦」では、環境が大きく異なる。大沢、上大沢が位置する外浦は、特に冬場に海からの風が強く、その強風から家を守るために、家の前にニガダケでつくった高さ四メートルほどの垣根を立てている。風をシャットアウトするのではなく、一部通しながら柔らかく受け止め、弱める仕掛けである。メンバーと一緒に間垣の見学に行き、竹を取りに行って、展示室に間垣をつくった。

そのほか、ユーモラスな奇祭を見学に行くなど、能登の調査を続けている。現在展示室では能登で見つけた素材を見ることができるが、九月からは調査に基づいた新作を発表する。

（二〇一三年八月一五日号）

あやべ工芸もりあげ隊

京都府の中央、やや北寄りに位置する綾部市は、自然に恵まれた、里山の魅力あふれる街である。自然に寄り添う暮らしの中で、和紙や陶芸、ガラスなど、工芸作品を生み出している作家も多い。工芸作家たちと街をつなぐ試みが始まっている。

八月初め、長引いた梅雨が明けたばかりのころ、「黒谷和紙工芸の里」を見学させていただいた。黒谷の和紙の歴史は鎌倉時代にさかのぼり、江戸時代に大きく発展したという。「工芸の里」に併設される京都伝統工芸大学校和紙工芸研修センターで自らの作品もつくりながら、和紙づくりを教えている渋谷尚子の案内で、和紙の材料や制作過程、施設について教えていただいた。その時、工房で紙を漉いていた人の言葉が印象的だった。漉いた紙をどうするのかという質問に対し、自分の家の障子に貼るのだと言う。「部屋の中で少し暗いところがあって、そこの障子に貼るために薄く漉いています」とのことだった。自分が暮らす空間の微妙な明るさをコントロールするために、自分で紙を漉く。なんという贅沢であろうか。透過する自然光に対する感受性は、和紙と日々格闘する中で、研ぎすまされてきたに違いない。和紙を漉くことは、自然の光を捉えることでもあるのだ。

紙漉きは、出来上がった紙を通じて暮らしや自然とつながるだけでなく、材料の面でもつながっている。渋谷たちは、共同で畑を借り、紙の材料となる楮を育てている。今日では、安い楮を中国など海外から輸入することが多い。国産はその十倍もの値段がするということで、輸入楮を使わないとすれば、自分で育てるのは合理的な判断だと言える。それにより、もちろん大変な作業ではあるだろうが、日々、材料となる植物の生長を通じて、天気や気温、季節の移り変わりと共に暮らすことになる。二四時間煌煌と商品を照らし続ける均質な人工照明のもと、自然との接点を失った生活に疑問を抱き、自然に寄り添った里山の暮らしに目を向ける人が増えている。特に三・一一以降、エネルギー問題、環境問題への関心の高まりを背景に、その傾向は強まっている。この時の綾部訪問中にお会いした工芸作家にも、大都市から移住した人が何人かいた。とりわけ第一次産業の衰退、過疎化、高齢化といった問題を抱える地域にとって、若い世代の移住者が持つ可能性は大きい。しかし、当然ながら自然と共に暮らすことは厳しく、つらく、手間ひまのかかることである。都会的な感性を持った移住者と、元から地域で暮らしてきた人たちとが、お互いに刺激を与えながらつながってゆくことが大切になるだろう。困難な道のりではあるが、工芸が両者を取り持つ可能性は多いにあると思われる。

「あやべ工芸もりあげ隊」では、一〇月より、綾部に住む工芸作家たちが講師となり、綾部市にある中丹文化会館などを会場に、市民向けのワークショップを開始した。和紙のほか、陶芸、木工、ガラス、ろうけつ染め、竹炭の各コースが設けられている。来年（二〇一四）三月にはシンポジウムや「工芸まつり」が企画されている。中丹文化会館は、舞鶴市、福知山市、綾部市の三つの市で構成される中丹地域の核となる公立の文化施設だが、利用率は他の地域と比べて高いと聞く。だが利用者の年齢層は高めである。「あやべ工芸もりあげ隊」の活動がきっかけとなり、若い世代の利用者が増え、世代を超えたつながりを生み出す場となることを期待したい。（二〇一三年一一月一五日号）

「島袋道浩　能登」展（二）

四月から始まった一年間の長期プログラム「島袋道浩　能登」は、九月に大きな展示替えを行い、後期展示が始まった。中心となるのは《鉄をつくる》という作品である。

メンバーは作家と共に、八月から九月にかけ毎週末、四回にわたって、能登半島の穴水町中居地区に鉄づくりに通った。「能登」という言葉から千枚田や勇壮な祭りが思い浮かぶことはあっても、鉄が連想されることはまずない。いま能登では産業として鉄を生産してはいないので当然である。しかし、大正時代まで、中居では鉄づくりが行われていた。塩をつくるための釜などをつくっていたそうである。輪島から珠洲に向かう外浦の海岸沿いに、いまも揚げ浜式の方法で塩をつくっている塩田があるが、そこで見かけた塩釜は、中居でつくられたものであった。また、金沢の茶釜師として有名な宮崎寒雉の初代は、この中居の出身である。明治時代に満州などから鉄鉱石を運び、八幡製鉄所などで製鉄が始まると、古代からのたたら技法による製鉄は急速にすたれていった。

島袋とメンバーが鉄づくりに取り組むことになったきっかけは、中居で干しくちこをつくる森川仁久郎との出会いである。もともと「能登」をテーマに選んだ理由がくちこだったが、くちこのことを教えてもらいに行き、くちこづくりが二月と三月しか行われないことを知る。森川は、それ以外の季節は家庭菜園などをやっているそうだが、

《鉄をつくる》展示風景
［撮影：斎城卓、写真提供：金沢21世紀美術館］

鉄づくりもしていると聞いたのが始まりだった。森川はかつて中居で行われていた、たたら製鉄の再現を試みているのだ。島袋は、鉄や木などの素材から、釜や机などの形を持った道具をつくりだすのではなく、素材の鉄自体をつくるという、ものづくりの原点とも言える行為に強い関心を抱き、鉄づくりに取り組むことになった。

「鬼板」と呼ぶ鉄分を多く含む赤い石を二〇〇キロ拾いに行き、それを一五〇キロほどの木炭で焼く。しかし出来上がった鉄はわずか一握り。やってみて実感したのは、わずかの鉄を得るために、これほど多くの木炭が必要だということである。木炭一〇キロ入りの段ボール箱一五箱。金属の生産にこれほどのエネルギーを要することを知って、空き缶一つも貴重なものに思えるようになった。

展示室には、鉄づくりに取り組んだ記録の映像と共に、炉や金棒など使った道具を展示している。展示室に持ち込むと、三段に重ねた炉はブランクーシの彫刻のような力を放っていた。ほかにも、メンバーが見つけて借りてきたイイダコ壺を使った作品や、家の前に巻かれているホースを撮った《能登のポートレイト》（二〇一三）など、多くの新作を展示している。

（二〇一三年一一月一五日号）

「虹の麓」展

二〇一四年一月、名古屋市民ギャラリー矢田で、金沢の若手作家八人のグループ展「虹の麓」が開催された。名古屋市文化振興事業団が毎年企画を公募する「ファン・デ・ナゴヤ美術展」として実現した展覧会で、作家はいずれも一九八〇年代以降生まれ、金沢美術工芸大学を卒業、もしくは在学中である。美大生の中でも比較的学外での発表やプロジェクトへの参加に積極的な作家が多い。

例えば、菊谷達史は入学したばかりの十代のころに、金沢21世紀美術館が主催した「金沢アートプラットホーム2008」にて、出品作家の一人中村政人が仕掛けたアンデパンダン展に参加していた。その後も金沢クリエイティブツーリズムのオープンスタジオにも参加するなど、作品を見せてもらう機会も多かった。井上大輔も同じオープンスタジオでアトリエを訪問したことがある。土方大も金沢の共同アトリエ、問屋まちスタジオの運営の中心的存在として活躍する。美大だけでなく、学外での活動を共にする中で築いたネットワークを生かして組織されたグループ展と言えるだろう。

展覧会全体の印象としては、日常的に身の回りにあるものを空間全体に散らしたカラフルなインスタレーション作品が目立った。映像を使ったインスタレーションの遠藤惇也や武田雄介+今西勇太だけでなく、平面を中心とする堀至以も、各作品の色あいや抽象的なモチーフの描き方の柔らかさと、異なるサイズのカンヴァスを空間に配するときのリズムから、共通する感性が感じられた。モールと結晶による立体を天井からつり下げた土方も、日常性への関心とやさしい色彩感覚を共有している。その中で木と鉄、パラフィン蝋を組み合わせ、山の形などに彫り出しながらも素材自体を見せようとする柄澤健介のシンプルさは対比的に際立っていたが、それとて、香りの残る木やパラフィンの素材感からやさしい印象を与える。総じて肉食系というよりも草食系である。

市民ギャラリー矢田には七つの展示室があり、六九二平方メートルの広さを持つが、各展示室が廊下を挟んで独立しているため、今回のように個展の集合のようなグループ展には使いやすい空間である。例えば菊谷のような若手作家の場合、二〇一三年の修士修了制作展で見せた新たな展開、すなわち、それまでのマンガ的な表現やかたちをフォトリアリズム的に油彩に取り込むような手法が後退し、重層的な「レイヤー」の前後関係をかく乱するような手法を積極的に用いるようになって以降の約一年間の新作をまとめて見せるのに、ちょうどふさわしい場になっていた。一方、菊谷と比べると少し経験の長い井上は、それまでのパターンの反復によるクールな立体作品には無かった髑髏のモチーフを初めて登場させていた。井上によると、二〇一三年の瀬戸内国際芸術祭でかたちを持たないプロジェクトを長く手がけていたことへの反動で出てきたモチーフだという。これは必ずしも成功しているとは思わなかったが、後輩たちが組織する展覧会への参加を要請され、そこで、自分自身も確証の持てない新たな実験を発表しようという態度には好感を持てた。

それぞれの作品を各展示室で展示する一方で、最も大きな展示室では、ある一定のルールを決めて自分たちのアトリエから持って来たものを、作品としてではなく、アーカイブ的に並べていた。コンセプトとしては面白かったし、展示されている各アイテムを見るのも、作家のアトリエを訪問しているような楽しさがあった。作家たちにとっても、共有するこの展示室がグループ展としての意味を担っているようであった。しかし、実際には、六メートルの天井高を持つ最大の展示室を一人で使い切ろうとするだけの実力と気概を持った作家がグループにいなかったということだったと推察する。名和晃平にせよ、塩田千春にせよ、このくらいの広さは楽々と使いこなしていたであろう。このスペースを持て余すようであれば、金沢21世紀美術館の展示室は使い切れない。広い空間を使うことは難しく経験が必要で、また、若手作家にはそのチャンスも少ない。たとえ失敗しようとも、一人で大きな空間にチャレンジしようという作家がいて欲しかった。

（二〇一四年二月一五日号）

「島袋道浩　能登」展（三）

「島袋道浩　能登」は、後期展示の開始以降も、一一月に能登の志賀町に干し柿のつくり方を習いに行ったり、メンバー通信『能登へ』を創刊したりと、「メンバー」と呼ばれるボランティア参加者の活動が続いている。

金沢から見て能登半島の入り口に位置する志賀町には湿度を調節しながら柿を干すための小屋がたくさんある。中にはつるした柿の壁ができ、特に夕暮れ時には差し込む日の光を浴びて、オレンジ色に輝いている。島袋とメンバーたちは細川農園を訪れ、細川夫妻の指導のもと、五〇〇個の柿の皮を剥いてヘタを取り、細い紐で柿二つを結びつけた。それを美術館に持ち帰り、用意した移動式の専用ケースの中に渡した竹につり下げ、小さな干し柿小屋をつくった。このケースは美術館の外の広場に約三週間、天候に応じて室内と屋外を出し入れしながら展示され、揉んで中の繊維を切る工程を経て干し柿が完成した。干し柿は冷凍中で、三月二日のクロージングイベントで参加者と共に食べる予定である。展示中、本物の柿だと思わない観客も多かったが、干した柿をかびさせてしまった話など、ケースの周囲は、ひとしきり柿談義で盛り上がっていた。メンバーも、自ら干し柿づくりを体験することによって、日常生活の中で柿を見る目が変わったようだ。私自身もそれまで柿はそれほど好きではなかったが、好んで食べるようになった。ケースのキャスターは、天候への対応や管理上の理由もあって取り付けたものだが、能登の柿小屋の一部が切り取られて、美術館へと移動してきたことを象徴するもののように感じられた。

一一月に創刊したメンバー通信『能登へ』は、展覧会の観客にメンバーの体験した能登を伝え、それをきっかけに観客自ら能登へ足を運んでもらうことを願って配布する媒体である。メンバーが署名入りで執筆し、編集や丁合の作業も行っている。現時点までに約三〇本の記事が掲載された。

四月から島袋と共に活動してきたメンバーは、島袋が実現すると決めた作品を一緒につくっただけでなく、能登へのリサーチの段階から同行してきた。島袋が能登の何に注目し、どのように対象に接触し、作品化していくかを間近で見ることができる一方で、作品として実現しなかったリサーチにも多く立ち会うことになった。また、繰り

干し柿のつくり方を習う島袋とメンバー

金沢21世紀美術館外構に設置した干し柿用ケース
［上2点、撮影：著者］

返し能登へ旅する間に、島袋や他のメンバーから影響を受けながらも、それぞれの各メンバー独自の体験が積み重なっていた。九月に後期展示が始まり、今後の展開について島袋とメンバーが集まって話し合った時、メンバーの一人である竹内聡が、いまの展示は島袋の作品を展示しているだけで、観客にメンバーの活動が伝わらないという発言をした。島袋展は、「金沢若者夢チャレンジ・アートプログラム」という美術館教育プログラムの一環として行っており、このプログラム自体は二〇一四年に七年目を迎えるのだが、竹内はこれまでにもいくつかのプログラムにメンバーとして参加してきた。過去の企画では、メンバーが交代で展示室に滞在し、観客にニットのつくり方（「広瀬光治と西山美なコの〝ニットカフェ・イン・マイルーム〟」）やウクレレの弾き方（「Aloha Amigo! フェデリコ・エレロ×関口和之」）を直接伝えたり、メンバーが朝顔に水をやったりする（日比野克彦アートプロジェクト「ホーム↓アンド↑アウェー」方式）など、メンバーの存在が観客に見えていた。むしろ、アートプロジェクトとして、一般市民の参加自体を作品の一部としてプレゼンテーションしているという側面もあった。それに対し、今回のプログラムでは、メンバーの参加自体を作品の中で表現しておらず、「展示」でのアウトプットがない。もちろん、メンバーの存在がなければ実現しなかった作品もあるし、その場合には壁に制作に携わったメンバーの名前もクレジットとして掲示しているが、いわゆる参加型の作品ではない。展示を考える時に意図的にそのような方針を取ったので、竹内の発言は、あらためてそのことを確認する内容だったと言える。だが、そこからメンバーが展示以外の媒体をつくって発信しようという話へと展開し、メンバー通信の創刊へとつながった。間垣づくり、能登の食材による七輪パーティ、祭りなど、メンバーが体験した能登を、それぞれの視点で文章に書き、写真を添えて伝えている。

二月には、冬の間、家に滞在してもらった田の神様に、春に向けて田に戻ってもらう儀式である「あえのこと」を見学に行ったり、干し鱈や干しくちこづくりを習いに行ったりする予定である。三月の最終日には、島袋とメンバーによるトークや、記録集の発行も予定しており、一年にわたる活動の集大成が目に見えるかたちとなるはずだ。

（二〇一四年二月一五日号）

「アトリエ・ワン　マイクロ・パブリック・スペース」展

気候が湿潤な地域から提起される建築のあり方とは――。ギリシャ、ローマを起源とし、いまや世界を覆い尽くす西洋建築が乾燥した「地中海主義」の建築とするならば、それに対抗する概念として、日本などアジアの湿潤な地域から「山水主義」的な建築を構想できるのではないか。アトリエ・ワンは、三年ほど前からこのような考えを表明している。

金沢21世紀美術館の収蔵作品である《ファーニ・サイクル》を貸し出したこともあり、広島市現代美術館で開催された「アトリエ・ワン　マイクロ・パブリック・スペース」展に足を運んだ。タイトルにも示されているとおり、これまでのマイクロ・パブリック・スペースを集めた本展では、展覧会入り口から、《ホワイト・リムジン屋台》(二〇〇三)、《人形劇の家》(二〇〇七)など、おなじみの作品が並ぶ。とりわけ《スクール・ホイール》は、二〇〇七年に金沢で「いきいきプロジェクト in 金沢」を行った時に使ったもので、目の前にすると、当時関わった人たちの顔が思い起こされ、作品のあの部分は修理してもらえただろうかなどと、いとおしくなる。そして、一階に展示された一連のマイクロ・パブリック・スペースの最後に、新作《山水主義・広島》(二〇一四)はあった。

マイクロ・パブリック・スペースはいずれも、展覧会に招聘される機会ごとに現地でのリサーチを元につくられたものである。広島での展覧会を機に、新しい作品をつくろうとすることはアトリエ・ワンにとって極めて自然な発想であろう。今回、リサーチの対象となったのは、「ハデ干し」と呼ばれる稲の天日干しと牡蠣の養殖である。一階の展示室と地下の展示室をつなぐ吹き抜けに、階段としても機能する木造の構築物が設置された。その上部には、稲の束が屋根のように掛けられている。途中に設けられたベンチのある踊り場のような空間の下に、ホタテ貝を連結した、牡蠣の養殖のための装置がつり下げられている。観客は、順路に沿って階段を下りて行くに従って、乾燥した地上から水中へ移動するという趣向である。その地域に見られる異なる二つの行動様式を一つに組み合わせることは、最初期の《ファーニ・サイクル》から使われている方法である。《ファーニ・サイクル》は、移動のみならずさまざまな運搬手段として用いられている自転車と、路上に出して使われている家具とを組み合わせたものだが、ともに高密度な都市部での行動様式の観察に基づく。それに対し、《山水主義・広島》は、都市部の外の農業と漁業をモチーフとしており、両者を合体させることによって、山と海の間に位置する都市としての広島を描き出している。

「山水主義」は、アトリエ・ワンが二〇一一年ごろから主張し始める概念である。例えば、中谷礼仁との対談で塚本由晴は、川端康成の小説や、メタボリズムのドローイングに筆が用いられたことなどに触れながらこの考えを披露している[1]。また、二〇一二年に出版された小池昌代との共著『建築と言葉』のあとがきとして、塚本は「山水主義試論」を書いている[2]。さらに、同じ二〇一二年、塚本と森田一弥の共著『京都土壁案内』の中では、「日本の古建築というのは、庭から室内までの連続した環境の中に組み込まれた、乾湿状態を制御するしくみである」と述べ、湿った外部から乾燥した内部（いぐさを乾燥させた畳、土を乾燥させた土壁など）へと推移する日本の建築を記述している[3]。《山水主義・広島》は、「山水主義」という概念を初めて展開した作品として、注目に値する。しかし、展覧会として、欲を言うならば、この新作のためのリサーチの展示がもっとあればよかったと感じた。

　地下へ降りたところの扇形の大きな展示室の壁面には、さまざまな都市のパブリック・スペースでの人々の振る舞いを捉えた映像群《ふるまいの庭》が投影されており、その中に新たに広島平和記念公園で撮った映像も含まれていた。続く最後の展示室では、宮下公園や北本の駅前など、マイクロ・パブリック・スペースで追究してきたパブリック・スペースについての考え方を実際の公共空間に展開した事例が展示されていた。近年のアトリエ・ワンの公共空間での仕事は、すでに二〇一二年にベルリンのアエーデス・ギャラリーで行われた展覧会でまとめて紹介されている。展覧会や本などで試みてきた思考が、公園や駅前広場といった施設に展開することを見せるのは、マイクロ・パブリック・スペースの全貌を見せる展覧会としては正統的であろう。

　しかし、もし、自分が本展のキュレーターだったとしたら、展覧会の核には、この展覧会に際してつくった新作を置きたい。回顧よりも新作に力を入れたい。私ならば、広島での新作のテーマが山水主義に決まった時点で、地下の扇形の展示室は、広島での稲の干し方と牡蠣の養殖の仕方のリサーチ、そして、土壁に関する調査など山水主義に関する展示に充てたであろう。どのような構築物を、どのような位置に建てて、稲を干しているのか。どのような筏（いかだ）を組んで、どのようにホタテ貝をつるしているのか。どのようにつるせば、牡蠣はうまく育つのか。例えば、能登半島の輪島でも稲の天日干しは行っており、穴水など内浦では、牡蠣の養殖を行っている。そのような他の地域のやり方とどのように異なっているのか。アトリエ・ワンの視点でより詳しいリサーチを行い、展示することは可能だったのではないか。一方、最後の展示室はエピローグ的な位置づけとし、スタディ模型の展示はやめて、代わりに扇形の展示室で展示されていた《ふるまいの庭》を移動させる。新作の広島平和記念公園のパブリック・ドローイングも不要だったかもしれない。そうすることによって「マイクロ・パブリック・スペース」から公共空間の仕事へという展覧会全体のすっきりとしたまとまりは失われるかもしれないが、「山水主義」という新しいチャレンジに向けて破綻しているくらいがこの展覧会にはちょうどよい。

そもそもマイクロ・パブリック・スペースは、住宅の設計を主たる戦場とせざるを得なかった建築家が、美術展という場を活用して、パブリック・スペースに関する思考を実験的に展開してきたものではなかったか。いまやその建築家は、その思考を公園など実際の公共空間で試みることが可能となった。その時点で、アトリエ・ワンにとっての美術展というメディアの役割は変化しても不思議はない。その意味で、一連のマイクロ・パブリック・スペースを総括するには良いタイミングであったと思う。だが、回顧して整理するだけではなく、新しい思考を実験する役割がコンテンポラリーアートの美術館にあるとすれば、この展覧会で最も重要な作品は、山水主義という概念に取り組もうとした新作ではないか。この作品は、都市部のパブリック・スペースにおける人々の振る舞いをテーマに据えた一連のマイクロ・パブリック・スペースからはすでにはみ出たものであり、マイクロ・パブリック・スペースの総括を踏まえて、アトリエ・ワンによる、次なる美術展の使用法に踏み込んだものである。そのことこそが重要であり、《山水主義・広島》をマイクロ・パブリック・スペースにカテゴライズする必要もない。《山水主義・広島》の途中に設けられたベンチは、ものを乾燥させるという振る舞いに沿ったものというよりはむしろ、アトリエ・ワン自身が批判する、共有できる空間をつくれば人が集まるのではないかという想定でつくられた「空っぽな」空間[4]であり、それが「マイクロ・パブリック・スペース」たらんという意思によってもたらされたものであるならば、私は必要なかったと思う。「ものを乾燥させる」という根源的な振る舞いに沿った新たな「山水主義」のシリーズが生まれるチャンスを孕んでいたにもかかわらず、アトリエ・ワン自身もキュレーターも「マイクロ・パブリック・スペース」という展覧会の枠組みに捕われすぎて、新作の勢いを殺してしまった点が惜しいと感じた。マイクロ・パブリック・スペースの次なる、新たな「山水主義」のシリーズを今後の展覧会で期待したい。

（二〇一四年五月一五日号）

注

［1］塚本由晴、中谷礼仁対談「転換期における建築家の存在、歴史家の役割」（『10+1 website』二〇一二年四月号　http://10plus1.jp/monthly/2012/04/post-37.php）

［2］小池昌代、塚本由晴『建築と言葉』河出書房新社、二〇一二年

［3］塚本由晴、森田一弥『京都土壁案内』学芸出版社、二〇一二年、一三九—一四〇頁

［4］アトリエ・ワン『コモナリティーズ』ＬＩＸＩＬ出版、二〇一四年、一二頁

「中村好文　小屋においでよ！」展

四月から金沢21世紀美術館で始まった「中村好文　小屋においでよ！」展を担当した。この展覧会は、昨年（二〇一三）東京のギャラリー・間で行われた同名の展覧会の巡回展で、私は後追いで展覧会の内容について学びながら金沢展の準備をすることになった。金沢への巡回を企画した理由は、小屋を通じて住宅とは何かを考える、そして、エネルギー自給自足のシステムを通じてこれからの暮らしを考えるといった展覧会の内容に共感したことがまずあるが、それ以外にも二つある。

一つは、中村はこれまで、金沢のガラス作家辻和美や能登の漆作家赤木明登と一緒に仕事をしており、彼らの提唱する「生活工芸」と横断的に見せることによって、さまざまな作家がいる金沢の工芸の世界の一側面を切り取ることができると考えたからである。現在同時に、美術館近くのギャラリーショップ「モノトヒト」（ディレクターは辻和美）では、中村の選んだお気に入りのものを展示する「好文堂」が開催されている。

もう一つは、今年（二〇一四）の秋から全館を使って行う建築展との関係である。この建築展は、戦後の日本の建築を網羅的に紹介するグループ展で、ポンピドゥー・センターと共同主催する「ジャパン・アーキテクツ1945–2010」と金沢21世紀美術館で独自に企画する「3・11以後の建築」の二本の展覧会で構成される。ゲスト・キュレー

中村好文《Hanem Hut》2013年［撮影：著者］

ターを、前者はポンピドゥー・センターのフレデリック・ミゲルーに、後者は五十嵐太郎と山崎亮に依頼している。この準備の過程で私が感じたのは、両展覧会が実験的なもの、アヴァンギャルドなものが中心となり、吉村順三、宮脇檀、中村好文といった木造の「居心地のよい住宅」の系譜が手薄になりがちだということである。それを補完したいと考えた。

展覧会の準備を通じて感じたことを、二、三記しておく。まず、中村が工務店や職人たちとの関係を非常に大切にしているということ。自ら細部までつくり方を考えているので、施工の際に無理がない。これは当たり前のことと思われるかもしれないが、例えばSANAAのつくり方とは対極的で、工芸職人的な設計手法といえるだろう。職人たちと設計図という目標を共有して共に走り、職人たちと食事を共にし、振る舞うことも大切にしていて、それが、中村を通じた工務店からの多くの協賛という結果をもたらした。次に、手に触れるところ、足が当たるところ、視覚的に硬そうに見える金具など、身体的な接触がある部分を丁寧に時間をかけて設計すること。そして最後に、自分のオリジナルのデザインを主張するのではなく、過去のデザインを学び、紹介することを大切にしていることである。『住宅巡礼』[1]、『意中の建築』[2]などで、多くの先例を訪ね、実測し、丁寧にスケッチして紹介している。展覧会でも、意中の小屋を七つ紹介しており、それらを詳しく見てゆくと、中村自身の小屋の設計に反映されている点も見いだせる。

調べるうちにもう一つ浮上してきたテーマは、宮脇ゼミによる「デザイン・サーベイ」である。「デザイン・サーベイ」とは法政大学の宮脇檀のゼミが一九六〇年代から七〇年代にかけて日本各地で行ってきた集落調査であるが、その元となったのが、一九六五年にオレゴン大学が金沢市幸町で行った調査である。さっそく、その調査結果が掲載された雑誌『国際建築』[3]を図書館で調べたところ、調査対象となっている道は、私が毎日美術館に出勤するのに通っている道ではないか。その調査報告には、内部の家具の配置まで細かく書き込まれている。来年（二〇一五）は調査からちょうど五十年後にあたる。瀝青会による今和次郎の民家再訪ではないが、五十年後の幸町を調査するのも良いではないか。その間、残っている建物もあるが、一九七一年に犀川大通りが通って、大きく変化したところもある。どなたか一緒に調査しませんか。

（二〇一四年五月一五日号）

注

[1] 中村好文『住宅巡礼』新潮社、二〇〇〇年

[2] 中村好文『意中の建築』上下、新潮社、二〇〇五年

[3]『国際建築』第三三巻一一号（一九六六年一一月）

金沢まちビル調査

「3・11以後の建築」展に向け、いくつかのワークショップを行った。本展のゲスト・キュレーターである建築史家の五十嵐太郎とコミュニティデザイナーの山崎亮からの提案によるもので、その成果は展覧会の中で紹介される。その途中経過を一部ご紹介したい。

一つは、大阪のBMC（ビルマニアカフェ）と共に行った「金沢まちビル調査」である。BMCは、一九五〇年代から七〇年代、高度経済成長期に建てられたビルの魅力を再発見し、イベントやリトルプレス、ウェブサイトなどで発信しているグループである。BMCが注目するこの時代のビルは、戦前のビルとは異なり、行政的な保存の対象とはなっておらず、また、ガイドブックに掲載されるような観光名所でもない。空きビルも多く、取り壊しや建て替えの時期を迎えている。金沢の建築というと、木造の伝統的な町家か、もしくは、金沢21世紀美術館や鈴木大拙館、金沢海みらい図書館など、最新の建築が注目されがちであるが、さまざまな時代の建築がモザイク状に残るのが金沢の街の特徴でもある。一九五〇―七〇年代のビルを「まちビル」と名付け、金沢在住の人を対象に「調査隊員」を公募し、調査を開始した。

「まちビル」の特徴の一つはタイルである。釉薬の斑(まだら)が独特の味を見せるタイルが、水平に連続する窓の下の腰壁に貼られているタイプが多い。角を丸くした窓も特徴である。新幹線や当時普及し始めた自動車など、乗り物のデザインからの影響があるという。外壁への金属の使用も同様の理由からである。そして、高価だった大理石の代わりに左官仕上げでつくられたテラゾー。いまでは輸入大理石よりも左官の人件費の方が高価になったため、用いられなくなったという。こうした特徴を持つビルは、普段歩き慣れた道にも、すぐに見つかった。BMCと一緒に街を歩き、BMCによる各ビルの解説を聞きながら、調査隊員たちは普段見えていなかったものの面白さに気づかされた。その一つは、金沢の人なら誰でも目にしてはいるであろう、片町スクランブルに面した北國銀行片町支店である。角地に建っているため、建物の角が切り取られ、切り取られた面が正面となり左右の対称性が強調されている。水平に連続する窓は、タイルが貼られた腰壁よりも奥に引っ込んでおり、BMCの高岡伸一の解説によると、それが「陰影を生んでいる」という。さらに二階までは上階に比べて引っ込んでおり、三階以上の部分のボリュームのまとまりを生んでいる。BMCのメンバーは、「これだけのすばらしいビルは大阪にもない」と口を揃える。

気づかなかった価値に気づくようになることは、それだけで快感である。調査隊の活動の目的の一つはそのことにある。では、「価値を再発見する」ということは、建物の保存運動なのだろうか。その建物のデザインのすばらしさを知れば知るほど、その建物が長く残ってほしいと思うのは自然な心の動きではある。だが、老朽化や耐震補強にかかるコスト、企業の統合などによって建物自体が不要になるといった変化を考えると、取り壊しが合理的であることも理解できる。しかし、同じ取り壊すにしても、そのビルのデザインの丁寧さを理解した上で取り壊すことが重要である。そのことによって、今後街に新しく建てられるビルが、経済的な合理性一辺倒ではなく、前にあったビルに負けないような、細部に至るまで配慮の行き届いたデザインとなることを期待したい。街並みの美しさは、デザインの統一性から生じるだけではなく、所有者や使用者が丁寧に愛情を持って建物や空間を扱っていることによって醸し出される。過去のビルの魅力を再発見することは、かつてはあった丁寧さを、次の世代に引き継いでゆくことにつながる。それがいま、過去のアノニマスなデザインを見直すことの意義ではないだろうか。

（二〇一四年八月一五日号）

「逃げ地図」ワークショップ

「3・11以後の建築」展のためのもう一つのワークショップは、日建設計ボランティア部と行っている「逃げ地図」である。津波時の道順と避難にかかる時間を地図に色分けして示すワークショップで、金沢市の沿岸部にある大野地区で、地域の人たちと実施した。大野地区は、街区よりも海岸に近い方向に高台がある。しかし、海の方向へ逃げるのは心理的に抵抗感があり、日常的に自動車を使用することが多いこともあって、陸の方へ自動車で逃げがちである。ワークショップを通じて、冷静に海側の高台に徒歩で逃げることの重要性をあらためて認識できた。また、港周辺の海抜の低い地域では、老人介護施設などいくつかの三階建て以上のビルに津波時に避難させてもらえるようにしておくことが、避難にかかる時間を大きく短縮するという事実も明らかになった。

日建設計は、東京ドームなど、一万人以上収容する施設を多く設計している。こうした大規模施設では非常時の避難計画が必要で、コンピュータによるシミュレーションを駆使して設計を行っている。この経験を、津波時の避難に生かそうとした発想が秀逸である。このような発想が、被災地のリアリティに基づいていることにも共感を覚える。彼らは、東日本大震災発生後、何か役立てることはないかと現地に向かった。そこで彼らが感じたのは、現地の人たちの気持ちがまだ復興に向かってはおらず、続く余震の中で、再び大きな揺れが来たときにどのように津波から避難するかの方に意識が向いているということであった。建築家としての専門性をシェルターや復興住宅をつくり出すことに生かすのではなく、逃げることのサポートに生かしたことは、建築家の職能の広がりを示している点で興味深い。建築家の役割は、広くリスクを予測し、それに対する手を打ち、人々の安全を守っていくことにあるとあらためて感じさせられた。「リスクに対応するという意味では、建築で消費するエネルギーを減らすことも、避難を考えることも自分たちにとっては同じです」というボランティア部のメンバー羽鳥達也の言葉が印象に残った。

（二〇一四年八月一五日号）

「3・11以後の建築」展

「3・11以後の建築」展は、同時に開催されている「ジャパン・アーキテクツ1945–2010」を受けて企画したものである。「ジャパン・アーキテクツ1945–2010」はポンピドゥー・センターとの共催で、同館内のパリ国立近代美術館副館長であるフレデリック・ミゲルーがキュレーションした企画である。ミゲルーは、七年ほど前から同展の開催の可能性を探りながら日本の戦後建築に関する調査を進めてきた。この展覧会を金沢21世紀美術館で開催することが決まった時、私が感じたことは、「2010」という区切りがどうも中途半端だということである。この翌年には東日本大震災が起きており、日本の建築家の意識にも大きな影響を与えていた。そのため、二〇一一年以降の最新の建築の状況を伝える展覧会を金沢21世紀美術館独自の企画として提案した。その時の企画書で掲げたテーマは「社会のなかで」というものだった。ものを売るためのデザインから、社会の問題を解決するためのデザインへ。このような展覧会コンセプトを設定したものの、自分自身でキュレーションするほどの建築に関する調査ができていないという自覚はあったため、このテーマならばと五十嵐太郎と山崎亮にゲスト・キュレーターを依頼した。およそ一年半前の昨年（二〇一三）六月のことである。

その後、各セクションテーマの設定、建築家の選定と準備を進めていったが、これらについては、ゲスト・キュレーターの二人にお任せした。私から意識してほしいと依頼したことは二つあり、一つは金沢で行うことの意義、もう一つは、金沢21世紀美術館の観客が通常の建築展の観客とは異なり、兼六園を訪れるような人たちだということであった。仙台と東京を拠点とする五十嵐は、東日本大震災では自身も被災者であり、震災後も精力的に被災地を回っている。一方、関西を拠点とする山崎は阪神・淡路大震災の経験が現在のコミュニティデザインの活動のベースとなっている。しかし、金沢はいずれの震災でも被災していない。そのため、「3・11以後」といっても東日本大震災と原発事故への直接的なリアクションだけを展示するのではなく、一九九五年以降の大きな時代の変化を捉えるような展覧会にしたいと考えた。肥大化した冷徹なシステムの弊害を地方は強く受けている。東日本大震災をきっかけにそのことに都市部の人たちも気づくようになった。そうした状況下、自らの果たしうる役割を考えながら、模索しつつ活動している建築家の姿を見せることは、たとえそれが建築界全体からするとささやかな試みであったとしても、金沢にとって意義があると考えた。ゲスト・キュレーターの二人が選んだ事例は、東北はもとより、十日町、浜松、瀬戸内、徳島県神山町、佐賀、延岡など、全国の地方都市や中山間地域での取り組みが多く含まれている。

建築の展覧会は建築そのものを見せるわけではないため、ただでさえ取っ付きにくい。しかも、形の新奇さで勝負するような建築ではなく、建てるまでのプロセスに工夫を凝らしたり、環境に配慮した建築を展示で見せようとすると、研究発表のようになりがちである。五十嵐は、これまで多くの展覧会を企画し、美術も含めて多くの展覧会を見てきた経験から、出品者を選ぶときにも常に、展示室でどのように見せられるかを念頭においていたように感じられた。その結果、はりゅうウッドスタジオが燃焼実験に使った実物のパネルや坂茂の実物の間仕切り、岡啓輔のセルフビルドのビルの原寸大の写真、トラフ建築設計事務所と石巻工房の家具、三分一博志の煙を使った気流模型など、それぞれに適した多様な見せ方が工夫された。一方、山崎は、最終的にはセクションのタイトルとなった「エネルギー」「使い手」「地域」などのキーワードで展覧会のアイディアを伝えるというアプローチを採った。エネルギーのことをよく考えれば、地域を大切にした建築になるなど、お互いのキーワードはリンクしあっていて、紹介した多くの事例はいずれのキーワードにも当てはまる。また出品者からすれば、一つのキーワードの中に分類されることは、あるレッテルを貼られるようで嫌なものである。そうしたことを自覚しつつも、観客に伝えることを重視して、キーワードを掲げることになった。出品建築家の選定作業は、山崎が設定したキーワードとその例として山崎が挙げた建築家群の中に、展示物も含めての総合的な判断で五十嵐が提案する建築家を位置づけることを軸に進められ、そのたびに、キーワード自体が検討し直された。

セクション４「使い手とつくる」の展示室。手前は乾久美子《延岡駅周辺整備計画》用のテンプレート模型
［撮影：木奥惠三、写真提供：金沢21世紀美術館］

展覧会設営の終盤、石巻工房の巨大なＡＡスツールが、展覧会の最後の大きな展示室に立ち上がった時、パズルの最後のピースがぴたっと収まったように、展覧会が出来上がったと感じた。今回の展覧会の台座には、共通して石巻工房のＡＡハイスツールを用いている。「使い手とつくる」というセクションでは、このスツールに天板を載せた上に、工藤和美と藤村龍至の鶴ヶ島のプロジェクトや、乾久美子の延岡の「テンプレート模型」がたくさん載って、展示室全体でワークショップルームのような仮設的な雰囲気を生み出

すことができた。展示室をつなぐ廊下部分にも、休憩用の椅子として、ＡＡスツールやベンチを並べた。ＡＡスツールは一本のデッキ材から椅子をつくるという制約を自らに課しており、持ち運びが容易で、すぐに家の外に持ち出して使える「スモール・アウトドア」と彼らが呼ぶコンセプトでつくられている。金沢21世紀美術館の廊下は、街路に例えられることもあり、展示室を建物と捉えると、廊下に置かれたベンチはあたかも外に面した縁側のようだ。トラフと石巻工房は建築とプロダクトの横断という意味で「建築家の役割を広げる」というセクションにカテゴライズされているが、この点で「住まいをひらく」というテーマとも通ずる。また、ＤＩＹをコンセプトにしている点では、「使い手とつくる」というテーマとも通ずるし、もちろん、震災後に自宅や職場を直すための工房からスタートしている点では、「災害後に活動する」というテーマとも関係する。地域の産業の活性化という点では「地域資源を見直す」のセクションとも関わる。さらに、各スツールに刻印されている石巻工房のロゴは、今回の広報デザインと展示の壁面デザインをお願いしたカイシトモヤによるものだ。正確には、石巻工房のスツールを台座に使うことが決まったこともあって、グラフィックをカイシに依頼した。完成イメージを示したドローイングは見ていたものの、石巻工房によるこの新作インスタレーションは実際に立ち上がるまでは私自身もどのようになるか分からなかった。ＡＡスツールを巨大にしたこのインスタレーションは、展覧会の最後に、それまでに使われてきた台座やスツールの種明かしをしながら、展覧会全体を統合している。

二人のゲストキュレーターと二五組の出品建築家、そして強力な制作チームのおかげで、自分でも満足のできる展覧会となった。

（二〇一四年一一月一五日号）

トラフ建築設計事務所＋石巻工房による巨大なAAスツールのインスタレーション（左手前）と
岡啓輔《蟻鱒鳶ル》の実物大写真（右奥）［撮影：木奥惠三、写真提供：金沢21世紀美術館］

金沢市小中学校合同展（中学校美術）とドットアーキテクツ

およそ四十年の人生で美術が好きではない時期があった。中学生のころだった。小学生のように自由にのびのびと描くというだけでは気が済まない。だが、そこまで技術があるわけでもない。転換期で戸惑っていた。

集中的に金沢市内の中学校を回り、美術室を訪ねて美術の先生にお話を聞く機会を得た。「3・11以後の建築」展の一環で、大阪のドットアーキテクツが金沢市小中学校合同展の会場デザインを行うことになったためである。「3・11以後の建築」展のゲスト・キュレーターである山崎亮の発案で、金沢21世紀美術館の市民ギャラリー使用団体と、若手建築家三組がコラボレーションして会場構成を行うことになり、その第二弾をドットアーキテクツに依頼した。お相手は、金沢市小中学校合同展。市内の小中学校の授業や部活で児童・生徒がつくった作品を一堂に会して展示するもので、開館以来、毎年一月に市民ギャラリーで開催されている。この中の中学校美術部門の展示に関わってもらうことになった。

ドットアーキテクツは、大阪を拠点に家成俊勝と赤代武志の二人が始めた建築家ユニットである。二〇一三年の瀬戸内国際芸術祭に際しては、小豆島で「Umaki Camp」という仮設的なコミュニティスペースを住民と共にセルフビルドで施工し、運営にも関わっている。

ドットアーキテクツは、市内に二十数校ある各中学校を一つ一つ訪ね、授業の内容、今年度合同展への出展を考えている作品、美術部の状況、合同展で改善すべき点などのヒアリングから始めた。その過程で見えてきたのは、中学校の美術が置かれている厳しい状況である。このことは、教育普及を担当する学芸員には常識なのかもしれないが、普段は主に展覧会の企画を担当している私には新鮮なことばかりであった。まず先生方は大変忙しいということ。美術の授業のほかに、クラスの担任を受け持ち、学校のさまざまな業務も分担している。小さい学校ほど教員数が少なく、分担する業務の負担も大きい。「美術にかけられる時間は全体の十分の一もありません」とおっしゃった先生もいたが、それが実感であろう。次に授業時数の少なさ。学年によっても異なるが、週に一・五時間もしくは一時間で、準備、片付け、説明を含めての時間である。一単位時間が五〇分であるため、制作時間は実質二五分ほどにすぎない。行事などによって授業がなくなる週もある。合同展の中には観客を強く惹きつける作品もあるが、全体としては学校での活動の報告の意味が強い展示となってしまうこともやむを得ない。

当初は展示方法を変えることによって、観客によりよく伝える方法も含めて検討していたドットアーキテクツも、先生へのヒアリングを経て、見せ方だけに手を加えても、生徒の作品が変わらなければ展覧会を見応えのあるものにはできないと考えるようになった。だが、一年程度の関わりで生徒の作品を変えることはできない。もっと長期的に考えて出てきたアイディアが、授業での各先生のさまざまな工夫を展示するというものであった。短い授業時間、そして準備にかけられるわずかな時間の中で、生徒に少しでも美術の楽しさや技法を伝え、制作した作品を共に振り返るために、それぞれの地域の状況、各学年の状況、個別の生徒に合わせて、先生方は独自の工夫を凝らしている。私も広い市域に及ぶ学校に足を運ぶことによって各地域の違いも少しは実感できたし、先生方からも「それは（文教

各中学校でのヒアリング。紫錦台中学にて。左から西塔先生、ドットアーキテクツの土井亘と赤代［撮影：著者］

地区である）○○中学校だからできること」「いまの三年生にはこの課題をやったが、その下の学年では、（危なくて）彫刻刀は使わせられない」といった話も伺った。ドットアーキテクツは、先生方の工夫を約四〇件採集し、展覧会の会場内に六つの塔を制作し、展示した。

「先生の工夫」展示に至ったもう一つの理由は、ヒアリングを通じて見えてきた先生方の孤立である。かつて生徒数が多かった時代には、美術の先生が二人いる中学校も多かった。その場合は、人事的な配慮でベテランの先生と若手の先生を組み合わせ、授業の内容やノウハウを日常的に相談し、引き継いでゆける体制を組むことができた。ところが現在、二人の先生がいる中学校は市内二十数校中わずか三校ほどに限られる。美術の先生方が学校を横断して集まる研究会も実施されているが、年に五回程度である。同じ大学、例えば金沢美術工芸大学や金沢大学教育学部で同時期に学んだ先生方の間には、非公式なつながりもあると伺ったが、すべての先生方ではない。さらに深刻なのは、これから「大量退職時代」を迎えることである。各校二人時代に多く採用されたベテランの先生が、次々と定年を迎える時期になる。これも人口動態に伴う問題だが、各先生の経験をいかに引き継いでゆくかという課題を市の中学校全体として抱えている。小中学校合同展を、先生方の工夫を共有する場にもしたいというドットアーキテクツの思いが「先生の工夫」展示に結びついた。

工夫を先生間で共有することを目指したドットアーキテクツの展示であったが、一般の来場者にも学校の様子が少しは伝わったようだ。来場者の中には生徒の家族も多く含まれるが、「今回の展示を通じて先生方の努力を感じることができ、子どもたちの作品の見え方も変わった」という旨の手紙を保護者から受け取った先生もいた。

制度自体を変えることは大仕事かもしれないが、その状況を教育行政、現場の先生、家族、美術館、そして広く一般に共有し、どのような美術教育を目指すのかを共に考え続けること、そして、日々、現場で生徒と向き合う先生を孤立させず、関係者が関心を向けることの大切さを感じたプロジェクトであった。私自身、毎年小中学校合同展を見てきたが、今年ほど、生徒の作品が生き生きと見えたことは無かった。「ああ、あれはなんとか間に合ったな」「美術部の作品に絞って、なかなか大胆だな」などと思いながら見て回った。各生徒の顔というところまでは至らないものの、作品を見ると、学校の校舎、周囲の風景、先生の顔、夏の暑い美術室が思い返された。展覧会の機能は、鑑賞者が作品を見るだけではない。特に小中学校合同展のような展覧会の場合、さまざまな目的と関係者が入り組んでいる。その複雑さの中に分け入って、何が本当に大切かを考え、すべての学校に最低二回ずつは足を運んで手間ひまを一切惜しまなかったドットアーキテクツの態度は、今後私が美術に向き合うときの一つの指針となる。

（二〇一五年五月一五日号）

「Atsuko Nakamura　意識と無意識の境界」展

『太陽がいっぱい』(一九六〇)はこれまでに観た中で一番怖い映画だ。古典なのでネタバレも許していただくとして、ヨットが陸に引き上げられるラストシーンは鮮明に記憶に残っている。ドックに引き上げられるヨットのスクリューにロープが絡まり、そのロープの先には、葬り去ったはずの死体が……。このラストシーンによって、それまでの水上のシーンが次々と思い返される。あのときも、そしてあのときにも、実は水面直下に死体が張り付いていた。水面上と水面下の二重構造であったことが事後的に判明し、主人公も映画を見ている自分もそのことを知らなかったことを知る。そしてもし、ヨットが引き上げられなかったら、ずっと死体が張り付いていることを知らないまま、水上のレジャーを楽しんでいるかもしれない。

金沢アートグミで開催されているAtsuko Nakamuraの個展で《海境》を見た時に思い出したのはこの映画のことだった。展示空間の一番奥に、スポットライトの光を受けて少し傾けて立てかけられた筏のような物体は、裏側を覗き込むことで一変する。裏側にはたくさんの突起があり、それが塩の結晶で覆われているのだ。実際の制作過程は異なるのだろうが、この突起を水中に向けて筏が水面に浮かんでいる状態が想像される。塩はこれまでにも中村がよく使ってきた素材の一つだが、この作品では第一義的に海を意味するものとして使われている。そこから、水面を境界として、その上の世界と下の世界の共存が示唆される。

塩は、その横に展示された地図の作品にも使われている。江戸時代の日本地図の海の部分に結晶化した塩がこびりつき、陸の部分は切り抜かれている。この作品名《意識と無意識の境界》は本展のタイトルにも使われている。中村にとって陸・水面上は意識の世界であり、海・水面下は無意識の世界である。だが、意識の世界と無意識の世界は単

Atsuko Nakamura《海境》2015年

Atsuko Nakamura《意識と無意識の境界 1691》2015年

Atsuko Nakamura《地脈》2015年　［上３点、撮影：著者］

純に対立するものではない。そのことは、二〇一三年にイギリスの地図と塩を使って制作した同名の作品の、中村自身による解説から読み取ることができる。そこで中村は塩について「塩は人間の体には必要不可欠な物質であると同時に一定量を超えた摂取は人を死に追いやるというような目に見えないラインを意味している」と述べている。海と結びつき、無意識・体を指し示すものであった塩は、一方で、体を損なうものでもあるという複雑さを作家は意識している。反対に陸については、その部分を切り抜くことによって、見えないものとして提示している。見えない意識と自らを損なう無意識という、それぞれ反転させられたもの同士の間の、目に見えない境界を扱おうとしているのだ。

流木も中村がよく使う素材の一つだ。これも陸と海の境界を横断するものである。《地脈》と題されたインスタレーションは、地形をつくっているようにも見えるが、その窪んだ形状は、波をかたどったもののようにも見える。

展覧会には、福島の原子力発電所の事故をテーマにしたものもある。二本の旗に福島の汚染水と汚染土をしみ込ませた作品《フ×××の旗》(二〇一五)と、映像による《たれながし音頭》(二〇一五)がそうだ。これらの作品でも、放射性物質が「目に見えない」こと、そしてそれが海を介して境界なく広がることに作家の関心は向いている。かなり作風は異なるものの、この点で関心は一貫している。人工と自然、意識と無意識の境界を考え続けてきた作家にとって、原子力という人工の極地と自然との関係は避けられないテーマだったのだろう。《たれながし音頭》は洗練されているとは言いがたい作品ではあるが、これまでの作風を自ら突き崩すような真摯さが感じられて興味深い。

(二〇一五年五月一五日号)

注

［1］中村のポートフォリオ、二〇一四年八月

金沢発信アウトサイダー・アート展×垣内光司

「金沢発信アウトサイダー・アート展」第2会場外観
［撮影：池田ひらく、写真提供：金沢21世紀美術館］

ドットアーキテクツと金沢市小中学校合同展とのコラボレーションに続き、「3・11以後の建築」展の「市民ギャラリートライアル」第三弾が三月に行われた。若手建築家と市民ギャラリー使用団体が協働して展示空間をつくる本プロジェクトの最終回として、京都の建築家、垣内光司と、金沢でアウトサイダー・アートの支援を行う金沢アート工房とが手を組んだ。垣内のアイディアは、市内の空き家を掃除し、第二会場とする。掃除で出てきた家財道具を、第一会場である市民ギャラリーの展示什器として使うというものであった。この二つの会場で「金沢発信アウトサイダー・アート Vol.7」が実施された。二つの社会的な課題をクロスさせるというのがこのアイディアの肝である。

「金沢発信アウトサイダー・アート展」第1会場（金沢21世紀美術館）
［撮影：池田ひらく、写真提供：金沢21世紀美術館］

アウトサイダー・アートの支援は評価すべき活動である。だが、それだけを発信しても関心のある人にしか届かない。別の社会的な課題、例えば空き家問題と絡めることによって、空き家問題に関心を持って展示に関わった人や展示を見に来た人にもアウトサイダー・アートについて知ってもらえる。これが垣内の提案であった。市民ギャラリーの中央には、かつて染め物の工房として使われていた町家から出てきた作業台やテーブル、靴箱などが並べられ、その上に立体作品が展示された。レトロな家具は、実は注意深く垣内によって選び取られたもので、独特のまとまりが見られるが、一見したところ、「空き家から出てきたもの」というルールだけを設定し、建築家としてデザインすることを自らに禁じたような展示空間となった。

（二〇一五年五月一五日号）

「われらの時代」展

四月から「われらの時代──ポスト工業化社会の美術」展が始まった。日本の一〇人の作家によるグループ展で、金沢21世紀美術館の八人のキュレーターがそれぞれ一室一作家を担当するという構成である（一部は二作家を担当）。開館から十年を経て、美術館の「同時代」はどのように変わったかというテーマで、各キュレーターが作家を選んだ。

私が選んだのは泉太郎で、金沢21世紀美術館の最大規模の展示室を使い、映像の問題を立体、空間的に展開する新作を依頼した。展示室いっぱいに三〇〇体の木の衣装が並べられ、奥の壁面には大きく映像が投影されている。この衣装の中は空っぽだが、展覧会に先立つある日曜日、同じ展示室で、この三〇〇体の衣装を三〇〇人の人が着て撮影を行った。衣装はその抜け殻だとも言える。木に人が入った状態で、九人のコスプレをした人がその間を歩き回り、その人たちを作家自身がカメラを持って追いかけ写真におさめた。九人のコスプレイヤーがどのキャラクターのコスプレをするのかは、泉によって、そのキャラクターを演じていた俳優が現実には亡くなってすでにこの世にはいないものが選ばれている。中身の人がいない衣装と同様に、キャラクターだけが実体なく残っている状態で、掴もうとしても掴めない「映像」というものに通ずる。壁面の映像は、木に人が入り、コスプレをした人が歩き回り、それを追いかける人物という状況全体を撮影したものである。作品の展示空間で撮影を行うことによって、入れ子

泉太郎《無題候補（虹の影が見えない）》2015年
［撮影：木奥惠三、写真提供：金沢21世紀美術館］

状の構造をつくり出し、映像と身体・空間との間をかく乱する泉らしい作品であると同時に、三〇〇人の出演者という新たな展開を示す力作となった。

同展のカタログで、内田樹にこの一五年の時代を捉えるテキストを依頼した。内田は二〇一五年の日本を「老化する社会」とした。「老いた社会では、創意、発明、冒険心、快活さ、楽天性、のびやかな身体、屈託のない笑顔……そういったものが人間的価値としてはもう評価されない。代わりに、冷笑、パロディ、皮肉、没論理、不機嫌、非寛容といった態度が一般的になる」と書き、「青年」がいなくなったことを指摘する[1]。確かに泉を含め「われらの時代」展に出品してもらった多くの作家は、多かれ少なかれ、老化する社会を反映しているように感じる。「老人性社会」の次の時代を描かなければならない。これは内田から出された宿題である。

（二〇一五年五月一五日号）

注

［1］内田樹「21世紀の一五年を回顧する」、「われらの時代」展カタログ、金沢21世紀美術館、一一頁

「関東における80年代の現代美術」

一九八〇年代の日本の美術に関する展覧会を準備している。なぜ八〇年代か。

二〇〇〇年に収集を始めた金沢21世紀美術館は、「コンテンポラリー」アートの美術館であり、収集方針も「いま」の美術を対象としている。この「いま」を、収集方針では「一九八〇年以降」と定めている。この方針が定められた一九九〇年代末に、直近の約二十年間の美術が当時の「いま」と地続きだと捉えられたのであろう。

だが、二〇〇〇年に描いていた一九八〇年代の歴史と、二〇一五年に描く一九八〇年代の歴史は異なるはずだ。いま、一九八〇年代を振り返ったときに、今日へと続く転換点となった、当時の作品や作家、動向はどのようなものだったか。あるいは、いまは失われてしまっているが、いまこそ再評価すべき当時の美術とは何か。これを検証することが一九八〇年代展のテーマとなる。かつて「いま」だったものを歴史化する作業とも言える。歴史化という意味では、一九八〇年に断絶を見るだけでなく、特にアメリカ合衆国を中心に近年再評価の進んだ「もの派」など、その前の時代の美術との関係も検証してゆく必要があろう。これが美術館としての企画意図だが、二〇〇〇年以降に美術の仕事を始めたと言ってもいい自分にとっては、リアルタイムに経験していない時代の美術を新鮮な気持ちで資料に当たって調べ始めている。

この展覧会は、水戸芸術館と共同で開催する予定で〔1〕、今年（二〇一五）の三月よりプレ企画としてトークイベントを開催している。主に関西に焦点を当て、篠原資明、原久子を招いて水戸で行った第一回に続き、七月には金沢で、関東の状況を中心に、峯村敏明、村田真にレクチャーをしてもらった。峯村は、自身の「平行主義」という考えを丁寧に説明しながら、今日、絵画、彫刻、映像といったジャンル間のボーダーが失われている過度な「交差主義」を批判した。一九八〇年代に今日の美術の源流

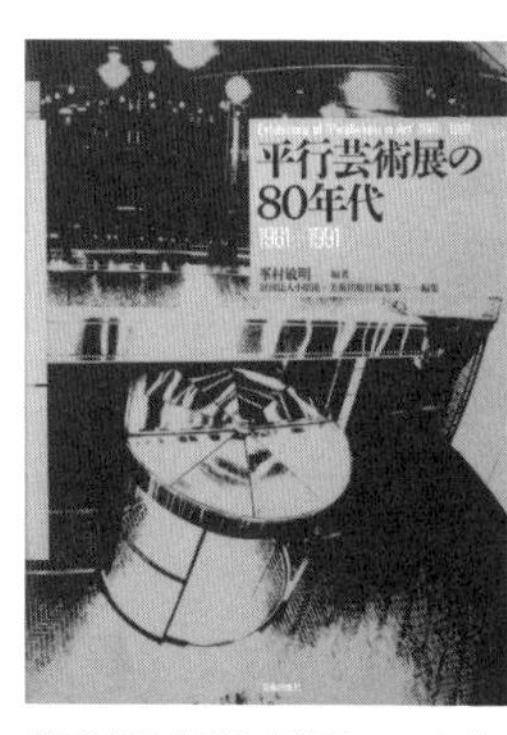

峯村敏明『平行芸術展の80年代』美術出版社、1992年、表紙

を見いだすのではなく、今日の美術に対する批判として価値を見いだすというアプローチにも気づかされた。

村田は一九八〇年代の美術の概略をバランスよく紹介しながら、貸画廊から企業のアートスペース、オルタナティブ・スペースまでの美術の場の変化についても言及した。少なくとも私が仕事を始めて以降は、アーティストを抱えた企画画廊の国際的な活躍が目立ち、貸画廊はさほど注目される存在ではなかったが、今回、貸画廊というシステムの持つ可能性についても気づかされた。作家が展示空間を借りて自ら展覧会を行う点で今日のアーティスト・ラン・スペースのような側面も持ちながら、ダイレクトメールによる広報や展覧会記録のアーカイブなどの部分は貸画廊が担当するというシステムは今日もっと見直されてよいかもしれない。そして、この貸画廊のシステムをうまく利用してデビューしたのが川俣正であることも教わった。貸画廊で若い作家が展覧会をしたからといって、すぐに作品が売れるものではない。むしろ展覧会の実績を積むことの方に意味がある。そこから、初めから作品を売ることは考えずに実験的なプレゼンテーションとして空間的な介入を行うという発想が生まれた。しかも通常ならば制作

に時間がかかるため、そう頻繁には画廊での個展は行えないところを、川俣は同じ部材を使い回しながら、異なる画廊を借りて連続的に個展を行うことによって存在感を高めるという手法を取った。貸画廊という制度をうまく利用したものだったと言えるだろう。

トークのための下調べをする中で、興味を持ったのが戸谷成雄である。一九八四年に始まる戸谷の「森」のシリーズは私も学生時代から見てはいたが、正直言って、これまでその作品のことをよく分かっていなかった。このたび、峯村や千葉成夫の書いた文章［2］を読んで、その作品に強く惹かれた。戸谷は、自らの彫刻の原点として、ポンペイの発掘現場で、考古学者が中空を発見し、それに石膏を充填したところ、人や犬の姿が現れたというエピソードを引く。戸谷が注目するのは、内側と外側の境界面としての彫刻である。その境界面は、同時にではないが、内側からも外側からも触れることができる。しかし、境界なので、それ自体に実体は無い。この境界面に実体を持たせるにはどうすればよいか。この探求が戸谷の「森」シリーズの探求であった。戸谷は、山の表面に広がる森が、空と大地の間の境界面に厚みを与えていると考え、チェーンソーによって木を刻む際、表面に厚みをつくることを意識した。

戸谷のこのテーマは、その後の美術を考える上で、二

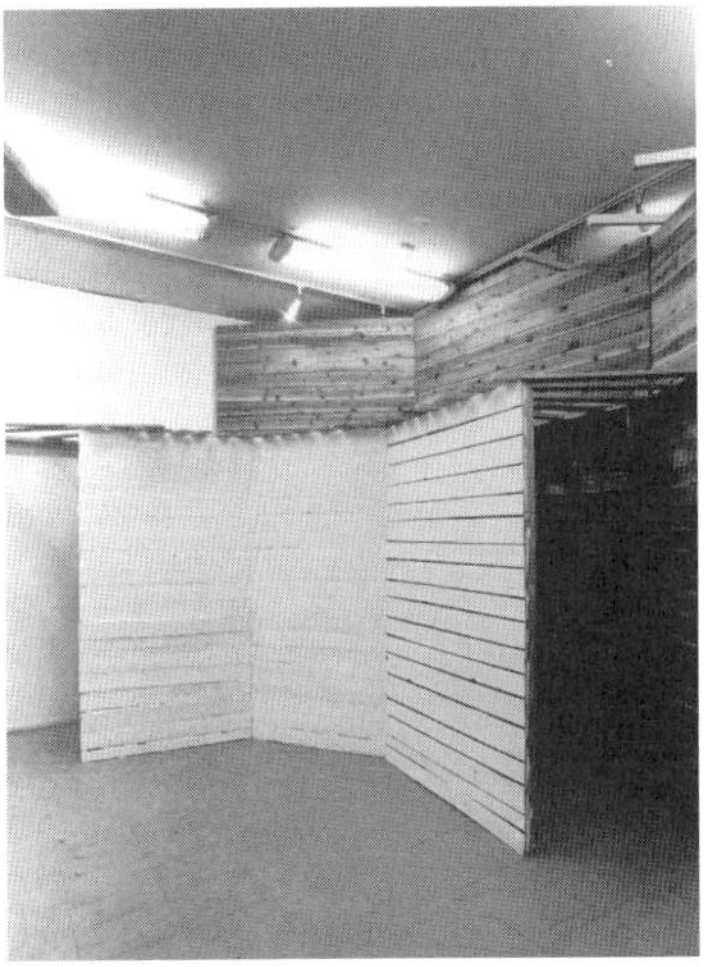

川俣正、田村画廊での個展、1980 年［出典：『工事中　KAWAMATA』現代企画室、1987 年、p. 50］

つの重要性があると感じる。一つは、反転可能性である。一九八〇年代は、真理と思われるものには常にその逆の視点が伴い、疑い続ける必要があるということに気づかせるための仕掛けとして作品がつくられるという動向が定着した時代であったように思われる[3]。早い例では一九七六年に始まる杉本博司のジオラマの写真が挙げられるが、杉本は「自然」すらも誰かによってつくられたものであることを暴き、ストレート・フォトグラフィに対して明らかにつくり物と分かるジオラマを写すことで、メディアの客観性を疑い、メディア自体へと意識を向けさせる。

ロラン・バルトが、論ずる対象を「作品」から「テクスト」に拡大し、コマーシャル・フィルムなども議論の俎上に載せ、それを日本では多木浩二が引き継いで、建築やデザイン、写真まで横断的に論じたように、これは、峯村の「平行主義」の対極にある傾向だと言える。したがって、戸谷の内側と外側の反転可能性への関心は、視点の変更をもたらす今日の「交差主義」的な作品群のねらいと通ずるものがあると言えるのではないか。戸谷の方は、手では中を触れられず、外から見るしかない凝集した塊としての彫刻に対する懐疑があり、メディアに対して意識的な後者は唯一の客観的な視点というものへの懐疑がある。

もう一つは、実体のない面の触覚性への関心である。内部と外部の反転は、同時には起こりえない。であるならば、

戸谷成雄《森［I］》1987年［出典：「戸谷成雄：視線の森」展カタログ、広島市現代美術館、1995年、p.97］

両側から経験されるその純粋な境界面は、頭の中にしか存在しないことになる。つまり、「イメージ」と言い換えることもできる。「イメージ」は実体を持たず、触れることはできない。その厚みを戸谷は追求した。

「われらの時代」展で、実体を持たずに流通するイメージの実体性をテーマに作品を制作しているのが金氏徹平と泉太郎である。金氏は、漫画などに現れる厚みを持たないモチーフや、厚みを持たない「しみ」を合板やぬいぐるみの詰め物によって「実体化」することによって、その物質性を探求していた。泉太郎も、映画や漫画に登場するキャラクターのイメージが、衣装を纏いメイクをすることによって実体化するコスプレをテーマとしている。映像やサブカルチャーからの影響が強い二人のアプローチは、戸谷とは問題へと至る経路は異なるとはいえ、「イメージ」の実体性への関心という意味では共通性がある。奇しくも泉のインスタレーションは「森」というかたちをとったが、戸谷の「森」の木の表面につくられた「厚み」と、泉の木の衣装の布の厚みは、イメージが実体化したものとしてつながるものがあると感じられた。両者共に、反転して内側からも体験可能なイメージでもある。

反転可能性とイメージの実体化に力点を置いた戸谷に対するこのような解釈は、「彫る」という彫刻の原点に立ち返ろうとする点に評価の力点を置く峯村よりも、むしろ千葉による戸谷の評価に近いと言えるだろう。

金氏徹平《Games, Dance and the Constructions (Soft Toys) #12》2015年［撮影：著者］

注

［1］水戸芸術館では開催されず、二〇一八年から一九年にかけて、「起点としての八〇年代」という展覧会名で、金沢21世紀美術館、高松市美術館、静岡市美術館を巡回した。

［2］峯村敏明「森を出て〈森〉に到る」（『戸谷成雄 1984–1987』佐谷画廊、一九八七年、四―七頁所収）、峯村敏明「戸谷成雄 ポンペイに甦るもの」（『戸谷成雄 1979–1984』佐谷画廊、一九八八年、三―一二頁所収）、千葉成夫『未生の日本美術史』晶文社、二〇〇六年、一二二―一五五頁

［3］一九八〇年代をこのように捉える視点を与えてくれたのは以下の文献である。尾崎信一郎「干渉する美術」（『現代美術の断面』京都国際芸術センター、一九九三年、一二―一九頁所収）

（二〇一五年八月一日号）

「鶴来現代美術祭」の調査

金沢から車で約三〇分、白山から日本海へと流れる手取川が、山間部を出て平野部へと差しかかるところに鶴来（つるぎ）の町はある。本町から新町、今町へと続く道沿いには古い町並みが残り、萬歳楽の小堀酒造や菊姫などの造り酒屋、糀屋や醤油屋などが店を構える。この鶴来の町で、いまから約二五年前、「ヤン・フートIN鶴来」が行われた。

二〇〇九年、金沢から来たキュレーターとして、私がゲントのS.M.A.K.にいた時、フートは私の顔を見るたび、「ツルギ、ツルギ」と言っていた。鶴来でのアートフェスティバルについて、ゲントにいるころから気になっていた。ゲントでのシャンブル・ダミ展の調査を終え、帰国して以来、いつか鶴来でのアートフェスティバルの調査をしたいと考えていた。

ようやくその機会が訪れた。きっかけを与えてくれたのは、映像作家の坂野充学だ。坂野は鶴来の出身で、中学二年生の時に「ヤン・フートIN鶴来」を家の近所で目撃したという。高校卒業後、ロンドンに渡り、イースト・ロンドン大学に学んで、映像作家となった。しばらく、中村政人のコマンドNに関わり、アーツ千代田3331の共同設立メンバーとして活動したのち、現在は清澄白河に自分のアートスペースを運営しながら、映像作品を制作している。その坂野が、二〇〇八年ごろから、自分の生まれ故郷の鶴来に関心を持ち、調べ始めた。そして、二〇一二年、鶴来をモチーフとした映像作品を発表する。来年（二〇一五）一月からは、その映像作品を金沢21世紀美術館で展示する。その展覧会の関連企画として、「ヤン・フートIN鶴来」とそれを引き継ぐ「アートフェスティバルIN鶴来」（以下、両方を「鶴来現代美術祭」）に関する資料を調査し、ライブラリーで展示することにした。現在、坂野と共に関係者を訪ね、資料をお借りしたり、当時の話を聞いたりして調査を進めている。

話の発端は、シャンブル・ダミ展の行われた一九八六年にさかのぼる。この年、ゲントを訪れた故和多利志津子が、日本でもシャンブル・ダミ展のような展覧会を行いたいと考え、同年、フートを日本に招聘した。最終的には、一九九五年に東京の青山で行われた「水の波紋」展に結実するのだが、当初は、まだそこまでの具体的なイメージは無かったという。この時、東京だけでなく、金沢、京都、名古屋を案内している。和多利は、金沢にも近い、富山県小

〈左〉金沢の玉泉園を訪ねるヤン・フート（1986年10月9日）［撮影・写真提供：坂本善昭］
〈右〉「ヤン・フートIN 鶴来」フライヤー（1991年）坂本善昭蔵

矢部市の出身で、当時、金沢の玉川公園近くに町家を改修した「ワタリ・ミュージアム」を構えていた。この建物は現在も残っており、いまは現代的な漆作家の旗手、田中信行がアトリエとして使っている。そのようなこともあって、金沢を訪ねたフートは、急遽、金沢美術工芸大学でシャンブル・ダミ展についてのレクチャーも行ったという。なお、この時点ではまだ鶴来は訪れていない。フートの金沢滞在時に同行したのが、この後、「ヤン・フートIN鶴来」立ち上げのキーパーソンとなる坂本善昭だ。坂本は、石川県を対象としたタウン誌『おあしす』の編集長をしており、地域のことに詳しかった。ワタリ・ミュージアムでは、「現代美術と日本建築」「ナム・ジュン・パイクの音楽」（共に一九八九年）などをテーマとしたセミナーを開催しており、サロンのような場が形成されていた。そうした中で、和多利と坂本は出会ったようだ。

一方、鶴来町では、同じく一九八六年より、鶴来商工会青年部によって、地域の資源調査が行われていた。その成果は一九八八年に報告書としてまとめられた。その後、その地域資源を活用すべく、当時発足したばかりの室内楽団「オーケストラ・アンサンブル金沢」を呼んで浄土真宗の寺院「別院」にてコンサートを行うなど、多彩な活動をしていた。その中で

「ヤン・フート IN 鶴来」ウォーキング・トーク（1994年9月25日）
[鶴来商工会に残されていたスライドより複写。撮影者不明]

も際立っていたのが、白山比咩神社で行われた「姫神」のコンサートである。二〇〇〇人以上の観客を集めたこのコンサートは鶴来の多くの人がいまなお、鮮明に記憶していた。

和多利が、金沢周辺でシャンブル・ダミ展のような町中での展覧会ができそうな場所がないかと坂本に尋ねた時、坂本は鶴来の町を挙げた。そして、一九九一年の「ヤン・フートIN鶴来」へとつながってゆく。一九九〇年東京に開館したワタリウム美術館の三回目の展覧会として、フートがキュレーションした「視覚の裏側」展のための来日に合わせ、「ヤン・フート氏の日本における現代美術一日大学」が開催される。一日大学の会場へと持ち込まれ、一〇〇点から約三分の一に絞り込まれた作品は、その夜のうちにトラックで鶴来へと運ばれ、翌日、展示された[1]。

近年、地域でのアートプロジェクトが多く開催され、アーティスト・イン・レジデンスも盛んになってきているが、鶴来の事例はその比較的早い事例である。その後の取手アートプロジェクトなどにも影響を与えた可能性もある[2]。また、実行部隊となる事務局を、地域の商工会が担ったことも特徴である。商工会を通じ多くの職種の人たちが関わったことが、作家の滞在制作において有効に働いたことが感じ取れる。その背景には、地域の祭りを通じた協働の蓄積がある。

鶴来現代美術祭の資料は、一九九四年から九六年を中心に、ある程度商工会が保管している。しかし、すでに保存年限をすぎている資料であり、今後も残される保証は無い。また、一九九一年の資料は、映像記録を除いて商工会にはほとんど残っていなかったが、幸い、坂本が資料を保管していたため、ある程度たどることができた。一九九七年以降は出品した作家などから資料を集めている。金沢美術工芸大学の小松崎拓男の協力も得て、金沢美大で学ぶ松田千賀子、松江李穂と共に、現在、資料のデジタル化、リスト化に取り組んでいる。アートプロジェクトのアーカイブについては、川俣正や、東京アートポイント計画などが積極的に取り組んでいるが、そうした先例も参照しつつ、鶴来現代美術祭のアーカイブ化に取り組みたい。

（二〇一五年一一月一日号）

注

[1] その後の展開については、以下の文献を参照。鷲田めるろ「鶴来現代美術祭における地域と伝統」（『アール 金沢21世紀美術館研究紀要』六号、二〇一六年、八〇―八三頁所収）

[2] 以下の文献を参照。鷲田めるろ「鶴来現代美術祭と取手アートプロジェクト」（『石川県博物館協議会会報』七九号、二〇一七年、五頁所収）

使って知る水戸芸術館の建築

金沢21世紀美術館で開催した「3・11以後の建築」展（ゲスト・キュレーターは五十嵐太郎、山崎亮）が昨年（二〇一五）一一月より水戸芸術館に巡回した。水戸芸術館は、これまで何度も展覧会を見に訪れてきたが、初めて展示する側として使ったことで、多くの発見があった。金沢21世紀美術館は、設計にあたり、水戸芸術館から大きな影響を受けている。そのことをあらためて確認することができた。

水戸芸術館は、日本の美術館でよく採用されてきた可動壁を使っていない。可動壁とは、天井のレールからつり下げた壁を移動させることによって、空間の仕切り方を変えることのできるシステムである。安いコストで空間を変えられる反面、がっしりとした天井のレールの構造が目立ち、壁も薄くなってしまう。それに対して、水戸芸術館は、あらかじめ多様なサイズの展示室を用意することによってさまざまな展示に対応できるようにしている。水戸芸術館が開館した一九九〇年よりも少し前から、インスタレーションのように空間全体を作品化する形式が現れてきて、さらに一九九〇年代ころより、暗室を必要とし音も伴う映像インスタレーションなども増えてきた。その結果、天井も含めた展示空間のシンプルさや、隣接する展示室の影響を受けにくい、部屋ごとの独立性が展示室には求められるようになった。金沢21世紀美術館もこの考え方に従い、当初から可動壁を使わない展示室を構想した（た

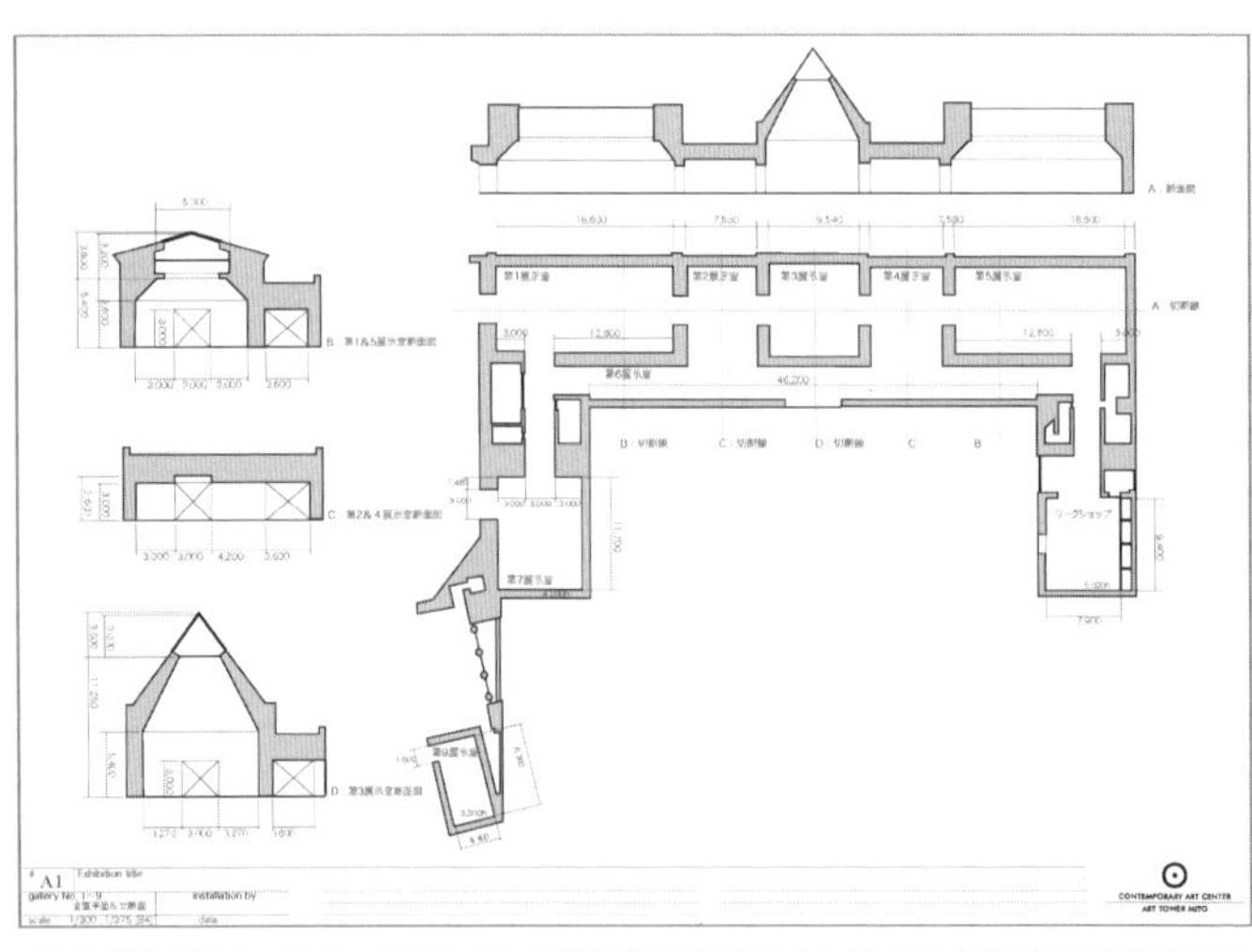

水戸芸術館展示室の平面と立断図。第1＆第5展示室断面図（左上）、第2＆第4展示室断面図（左中）、第3展示室断面図（左下）、第1～第5展示室長手方向断面図（右上）、全展示室平面図（右下）［図面提供：水戸芸術館現代美術センター］

だし、市民ギャラリーは可動壁を採用）。さらに今回は、展示室の平面のプロポーションの面でも水戸芸術館から金沢21世紀美術館へ直接的な影響があることにいまさらながらに気がついた。

水戸芸術館は、入口から奥へと三つ、天井の高い大きな展示室が並んでおり（第一、第三、第五展示室）、その間を二つの天井の低い小さな展示室がつないでいる（第二、第四展示室）。この五つの展示室は、ほぼ正方形と、正方形を二つつなげた長方形である。金沢21世紀美術館の設計当時のチーフ・キュレーター長谷川祐子とエデュケーター黒沢伸による「正方形を二つつなげた長方形は二つに区切っても使いやすい」という考えに基づき、金沢21世紀美術館の展示室のプロポーションは決定されていったが、二人は一九九〇年代、水戸芸術館に勤務していた。水戸芸術館の展示室を使った経験がこのアイディアにつながってきたのだろうということを実感した。

一方で、違いを感じる点もあった。まず一つは、展示室の壁面の高さの違いである。水戸芸術館の天井の高い展示室は、三・六もしくは五・四メートルまで壁が立ち上がったあと、三角屋根を内側から見上げたように、斜めの天井となっている。水戸芸術館が設計された一九八〇年代は、インスタレーションという形式が出てきていたとはいえ、まだそれほど多くはなかったのだろう。それに比べて、金沢21世紀美術館は天井までまっすぐに壁が立ち上がる直方体である。この方が形態はシンプルで、インスタレーションや映像のプロジェクションには対応はしやすい。ところが、「3・11以後の建築」展のような建築展には、かえって水戸芸術館の壁面は使いやすかった。「3・11以後の建築」展は、建築展にしてはインスタレーション的な展示が多かったが、実際の建築を展示物として移動してくることができない以上、テキストや写真、図面、模型が展示物の中心となる。そのとき水戸芸術館のようなヒューマン・スケールの壁面の高さは納まりが良い。建築展に限らず、美術の展示においても、作品が大型化した一九九〇年代と比べ、金沢21世紀美術館が開館して以降の約十年の間に、アーカイブ的、ドキュメント的な展示が増えてきたように感じる。それによって、再びヒューマン・スケールの壁面の高さが見直されるべきであるように感じた。

次に照明についてであるが、水戸芸術館も金沢21世紀美術館も、主要な展示室は、トップライトから自然光を採り入れている。金沢21世紀美術館は、オーストリアのブレゲンツ美術館を参照して、半透明のガラスを天井全面に渡す光天井とし、その上に蛍光灯を設置している。それに対し、水戸芸術館はトップライトの周囲に下向きに暖色系のハロゲンランプが設置されている[1]。今回、展示作業のために終日水戸芸術館の展示室内にいたことによって、水戸芸術館の展示室の方が、はるかに昼夜の照明の差が大きいことに気づかされた。人工照明と自然光の差が少ない点において、後発の美術館として、金沢21世紀美術館の方がより成熟した、洗練された照明システムを採用しているとも言える。しかし、近代的な美術館、とりわけ紙など脆弱な支持体を使った作品を展示する機会が多い日本の近代的な美術館が、均質でコントロールしやすい照明システムを目指して自然光を排除してきたことに対し、開放的であることを重視する脱近代主義的な現代美術館が、外部環境とのつながりを重視して自然光による採光を選んでいるのだとすれば、水戸芸術館の方がプリミティブではあれ、ラディカルにその方向性を示しているとも言えるだろう。

もう一つは、展示室の平面寸法のことである。水戸芸術館の詳細な平面図を見ながら展示計画を考えていた時に、水戸芸術館の展示室は、内寸を切りのよい寸法にして設計されていることに気がついた。例えば、入口から最初の五室（第一展示室〜第五展示室）は横幅が九〇〇〇ミリで統一されている。一方で、金沢21世紀美術館は、建物の柱を三メートルグリッドの交点に置いて設計している。壁の位置はそれよりも壁の厚さ分だけ内側となるため、展示室の内寸は中途半端な数値となってしまう。この違いは、日本家屋の京間と江戸間の違いにも例えられる。京間は畳の寸法を基準として柱をその外側に置く「畳割り」という方法を取るが、江戸間は柱の中心と中心の間の寸法を基準とする「柱割り」という方法を取る。ギャラリーを使う学芸員にとって、この違いは大きい。京間方式の水戸芸術館の方が断然展示室のサイズを覚えやすい。学芸員は、常に展示替えをし、常に次の展示のことを考えている。作品を見る時も、この作品をあの展示室に置いたらどのように見えるか、空間に対して小さすぎないか、といったことを想像しながら見ている。図面と実際の空間とを往復しながら展示を考える際、自分の中で基準となる寸法を持つことが大切である。しかし、寸法の感覚を身につけるのは容易ではない。ホームグラウンドである自分の館の展示室の寸法が覚えやすい数字だと、その点たいへん有利である。水戸芸術館学芸員で、「3・11以後の建築」展を担当した井関悠にこのことを伝えた際、展示室の多くの寸法が三〇〇ミリ単位になっていることを指摘され、再度驚いた。例えば、三・六メートルの壁の高さの部屋に仮設壁を立てて空間を仕切る場合、この高さは一八〇〇×九〇〇ミリの板二枚分である。設営時の資材を経済的に取ることができる。厳密な意味での尺貫法ではないものの、西洋起源のメートル法と中国起源の尺貫法を、合理的に建物の中に共存させていることを感じた。さらに、京間方式の影響かどうか定かではないが、井関より、壁裏の空間が多く取られていることも教えてもらった。金沢21世紀美術館でも、壁裏に機材を仕込むための空間を一部取っているが、これも水戸芸術館からの影響かもしれない。

（二〇一六年二月一日号）

注

［1］トップライトを閉じた際には蛍光灯による間接照明がある。また、井関悠によると、今後、ハロゲンランプを若干寒色系のＬＥＤに更新してゆく計画もあるとのことだ。

「坂野充学と巡る鶴来バスツアー」と「再演」

金沢21世紀美術館で開催した「坂野充学　可視化する呼吸」展の関連プログラムとして、「坂野充学と巡る鶴来バスツアー」を実施した。二五名の参加者が鶴来での街歩きを楽しみ、地元の人たちから話を聞いた。このプログラムを「再演」という観点から読み解いてみたい。

坂野充学展では、五画面の映像インスタレーション《Visible Breath》(二〇一二)を展示した。アーツ千代田3331での発表時に書かれた作品解説(無記名)では、坂野と鶴来との関係、地域の民俗学研究者村西博二との出会い、モチーフとなっている「ほうらい祭り」での唄の歌詞と鶴来の鍛冶屋文化について説明がなされている。さらに、今回の金沢21世紀美術館での展示に際して制作したリーフレットに寄せたテキストで、企画者である著者は、坂野がアーティストだけではなく、クライアントワークをこなす映像ディレクター、アートスペースを運営するアートプロデューサーという三つの顔を持っていることに着目して、《Visible Breath》の特徴について解説した[1]。ここでは、リーフレットでは触れることができなかった、「再演」という観点から坂野の作品について論じようと思う。

《Visible Breath》は、鶴来の歴史を取材した映像作品だが、史実を示す資料を次々と写し、編集するような方法は取らず、取材を元に想像した歴史を俳優に演じさせている。いわば古代を舞台とした時代劇である。厳密には、坂野自身の想像というよりは、村西の想像した歴史を坂野が映像化していると言えるが、当然、映像化にあたって坂野の想像も大きく反映されている。

歴史的な出来事を再演し、それを撮影して作品化する手法は、例えば、イギリスのジェレミー・デラー（《オルグレーヴの闘い》二〇〇一年など）や、同じくイギリス出身で、ベルリンを拠点に活動するタシタ・ディーンが取っている。

坂野充学《Visible Breath》2012年、アーツ千代田3331での展示風景
［写真提供：坂野充学］

タシタ・ディーンについては、ハル・フォスターの論文「アーカイブ的衝動（An Archival Impulse）」[2]の中でも一節を割いて論じられており、再演は「アーカイブ的美術」の一つの手法とも言える。アーカイブ的美術とは、ハル・フォスターによれば「近代のアート、哲学、歴史の中の特定の人物像、物体、出来事を取り上げ、それを特異な仕方で探査していく行為としてアート実践を捉える」[3]ような作品である。こうしたアーカイブ的美術の系譜に、坂野の《Visible Breath》を位置づけることも可能であろう。

坂野展の関連プログラムとして開催した「鶴来現代美術祭アーカイブ」展の調査は、坂野と私が共同で行ったもので、坂野もアーカイブという方法に関心を抱いていた。鶴来現代美術祭という二五年前に行われた企画について事実関係を知り、その記録を残すことが美術館員としての私の主たる調査動機であったが、一方、アーティストである坂野にとってはそれだけでなく、そのアーカイブを新しい創造につなげていきたいと

鶴来現代美術祭について話す北野一郎と吉田一夫。聞き手は小松崎拓男（金沢美術工芸大学）。横町うらら館にて［写真提供：金沢21世紀美術館］

いう気持ちも持っていた。アーカイブを利活用し、それを次の創造につなげやすい組織や法制度を整備していくことは、アーカイブ構築について論じられる際、しばしば強調される点である。

鶴来バスツアーには、二つの目的があった。一つは、《Visible Breath》の制作の背景を知ることである。坂野自身の案内で、坂野の生まれ育った鶴来の古い町並みを見たり、作品の撮影場所ともなった、坂野の実家の蔵を訪ねたり、作品にも登場する村西に会い、直接鶴来についての話を聞いたりした。もう一つは、鶴来現代美術祭について詳しく知るということである。当時の展示マップを手に、小堀酒造や吉田醤油店など作品が展示された場所を訪ね、当時の写真を見て現状と見比べながら展示の状況を想像したり、鶴来現代美術祭の立ち上げの中心的役割を果たした鶴来商工会青年部の部長北野一郎や副部長吉田一夫にその頃の話を聞いたりした。参加者には、坂野の作品と鶴来現代美術祭について、より詳しく具体的に知ってもらうことができたと思う。

だが、坂野にとって、このプログラムは、鶴来現代美術祭でのヤン・フートによるウォーキング・トークの再演という意識もあったのではないか。それを最も感じたのは、私がツアーの募集チラシの画像の選択を迷っていた時、坂野から一九九四年の「ヤン・フートのウォーキング・トーク」の写真を使うのはどうか、と提案を受けた時である。いまだ起きていない、未来の出来事のチラシに、ツアー実施中の写真が使われる。今回のツアーでも訪れる吉田醤油店の古い町家の前に五〇名ほどの人がたむろしている。おそらく当日もこれと同じような状況になるだろう。常に事前でしかあり得ないチラシに、事後の記録写真が使われることに、時空が歪むような不思議な感覚がした。

吉田醤油店前（白山市鶴来新町）［撮影：著者］

「ヤン・フート IN 鶴来 PART II」の「ヤン・フートとアーティストによるウォーキングトーク」（1994年9月25日）、吉田醤油店前
［鶴来商工会に残されていたスライドより複写。撮影者不明］

仮に、ツアーの「再演」をしっかりと撮影して、坂野の美術作品として発表したいということになっ

た場合、どうだっただろう。実際、バスツアーにカメラマンを同乗させたいと、坂野から提案されたこともある。第二次世界大戦中に作品を額から外して疎開させ、額だけを残した状態のエルミタージュ美術館でのガイドツアーを再現するメルヴィン・モティによる作品《ノー・ショー》(二〇〇四)のような映像作品にすることも可能だったかもしれない。

しかし、私はこの案にはおそらく賛同しなかったのではないかと思う。再演するという坂野の映像作品の目的と、鶴来について知りたいという参加者の目的のずれをうまく解消できないと思うからだ。それゆえ、私からもあえてそのプランは提案しなかった。では、撮影をしたり、作品として発表しない「再演」であったとしたらどうだろうか。すなわち、あくまで参加者にとっての「知る」という目的に沿ってツアーを実施し、参加者が知るという目的のために当時のウォーキング・トークを「再演」する。過去の人が行ったことを再び自分たちで再演することで気づけることは少なくない。わずかな違いであるかもしれないが、二つの目的の区別を尊重することは大切なことである。

(二〇一六年五月一五日号)

注

[1]「坂野充学　可視化する呼吸」リーフレット

[2] Foster, "An Archival Impulse." *October*, no. 110, 2004, pp. 3–22. 以下に増補版を収録。Foster, *Bad New Days: Art, Criticism, Emergency*, London: Verso, 2015(中野勉訳、『アール　金沢21世紀美術館研究紀要』六号、二〇一六年所収)

[3] Ibid., p. 31(中野勉訳)

「Nerhol　プロムナード」展／「Nerhol Roadside tree」展

金沢21世紀美術館では、五月よりNerholの個展「プロムナード」を開催中である。若手作家を紹介する「アペルト」シリーズの四回目にあたる。展示室に足を踏み入れると、まず壁の、木の断面を撮った写真が目をひく。四点ある写真は、一瞥したところ、まったく同じように見える。だが、わずかな揺らぎを感じながらそれぞれの作品に近づいてゆくと、遠目には一枚の写真であるかに見えたその作品は、薄い地形模型のようにプリントが何層にも重ねられたものであることが分かる。

このような手の込んだ繊細な仕事をしたNerholとは、飯田竜太と田中義久の二人のユニット名である。飯田は印刷物を切ったり彫ったりする立体作品をつくる彫刻家で、田中は石内都やホンマタカシなどの写真集の装丁も多く手がけているグラフィック・デザイナーである。異なる分野でそれぞれに活動する二人がコラボレーションするときの名義がNerholである。アイディアを「練る（Ner）」田中と紙を「彫る（hol）」飯田の組み合わせが名前の由来だ。飯田と田中がNerholとして活動を始めたのは二〇〇七年である。これまでも写真を積層して彫る作品をつくってきた。例えばポートレートの作品シリーズ「Misunderstanding Focus」（二〇一二）があるが、これはあたかも証明写真を撮るようなセッティングで三分間、モデルにじっと座っていてもらい、その間に連続で撮ったA4サイズの写真二

Nerhol《multiple - roadside tree no. 01》2016年
［撮影：山中慎太郎（Qsyum!）、写真提供：金沢21世紀美術館］

〇〇枚を三センチ分積み重ねたものである。それが地形模型のように彫り込まれている。ストロボを焚かれ続けながら、三分間「じっと」静止することはもちろんできないので、写真の集合体として等高線の間から現れるイメージは揺らぎを含んでいる。人と向き合うとき、相手の顔は当然時間や反応を含むものである。一瞬を切り取った証明写真をその人のアイデンティティとして我々は受け入れているが、それは奇妙な習慣であることに気づかせてくれるような、写真の本質を突く優れた作品である。

今回展示している新作「multiple - roadside tree」のシリーズは同じ手法を使いながら、ポートレートの作品における三分間という時間のスケールを大きく引き延ばしたものである。まず、木の幹を水平方向に五ミリずつ薄くスライスする。スライスした断面には木の切り株のように年輪が現れる。その断面を写真に撮り、さらに次の断面の写真を撮るという行為を一二〇回繰り返し、一二〇枚のプリントをつくる。そのプリントを使って、地形

「Nerhol Roadside tree」展会場風景。壁面は《roadside tree no. 03》（左）、《roadside tree no. 04》（右）、2016年［撮影：著者］

模型のような薄いレリーフ状の立体をつくるのである。年輪の形はほとんど同じだが、幹の先端から根元の方へ移動するにつれて少しずつ変化する。この変化は、木の成長がもたらすものである。一二〇枚の写真には、何十年という時間が込められている。展覧会カタログに寄稿した星野太が指摘するとおり、扱う時間の長さが大きく変化したことが、今回の新作の最大の特徴である［1］。

被写体としてスライスされた木は、金沢21世紀美術館横のギャラリーSLANTで展示された。さほど広くはないギャラリーに入ると、クスノキの香りが立ちこめ、金沢21世紀美術館のクリーンな写真の印象とは対照的に、木の物質性を強く感じさせられた。薄くスライスされた木は、元どおりに積み上げられた後（積み上げられた状態の写真は、ギャラリーの壁面に展示されている）、スライス面が現れるように斜め上から力が加えられて床に倒されている。薄くスライスされた幹は、紙が木からできていることを思い起こさせた。ポートレートのシリーズとは異なり、今回の新作は、被写体と支持体が重なるというウロボロスの蛇のような循環も感じさせる。

これを時間の流れで捉えれば、木が成長する時間の先には、紙という状態の時間が連続しているのかもしれない。もちろん、木は紙の状態になることを目指して成長しているわけではない。人が介在することで、木は紙になる。だが、我々が日頃目にする木の多くは自生したものではなく、人が植えたものである。今回の作品のタイトルにもなっている「roadside tree」、街路樹もまさにそうだ。今日の社会では、人工と自然は複雑に絡み合い、明確に区別することはできない。**Nerhol** は、これまでほかにも水道やペットボトルの水、ガスバーナーの火をモチーフにした作品も制作しており、人工と自然の関係にも関心を寄せているが、今回の作品にもその関心が明確に現れている。

選び取られた木が、人間によって植林されたものというだけではなく、道路脇に一定の間隔で植えられた街路樹であることに私は興味を引かれる。歩行に比べればはるかに高速で移動する自動車からの視点で見られる街路樹は、一定の間隔で後方に飛び去ってゆく。これが映像のコマ送りの原理と重なるように感じられる。歩行を超える速度での移動手段の歴史は、自動車よりもさらに鉄道へとさかのぼることができる。世界で最初の映画の一つが鉄道の到着を撮ったものであることはしばしば象徴的に語られるが、ヴォルフガング・シヴェルブシュが指摘しているとおり、車窓からの視覚の誕生と映像による知覚の誕生は、ともに近代的な知覚の出現を印づけるものである[2]。タイトルに示されたモチーフの選択が、映像の原理とも重なり合うところに、この作品における意味の重層性を見て取ることができる。展覧会カタログに寄せた論考で山峰は、木の断面を写した写真というメディアに、ヴァルター・ベンヤミンの言う「アウラの喪失」を見いだしながら、一方で積層したプリントを彫るという物質的な行為にアウラの回復を見いだしている[3]。それとは別に、街路樹というモチーフの選択自体にも、反復によって固有の一回性を喪った自然のあり方に対する作家のまなざしを見て取ることができよう。このことを踏まえながら、再びポートレートのシリーズを見返すと、一人一人の顔は異なっていながらも、同じセッティングで反復されるポートレートが、近代の群衆の出現と歩調を合わせて、ベルティヨン式などの手法を洗練させた司法写真の展開を、批判的に引き継いだものであるようにも感じられる[4]。

デジタル化の進展によって写真と映像とがオーバーラップし、自然と人工との境界もますます曖昧になる時代に、「multiple - roadside tree」は、近代的なまなざしの誕生と重なる視覚装置の歴史と向き合いながら、Nerholがポートレートのシリーズ以後も着実に作品を展開していることを示している。

注

[1] 星野太「時の彫刻」（山峰潤也、伊藤雅俊編『Nerhol: Promenade / multiple-roadside tree』マイブックサービス／Yutaka Kikutake Gallery、二〇一六年所収）

[2] ヴォルフガング・シヴェルブシュ、加藤二訳『鉄道旅行の歴史――19世紀における空間と時間の工業化』法政大学出版局、一九八二年

[3] 山峰潤也「multiple-roadside tree／その存在それ自体について」（山峰潤也、伊藤雅俊編、前掲書所収）

[4] 司法写真については、港千尋『群衆論』筑摩書房、二〇〇二年（初出＝リブロポート、二〇〇二年）を参照

（二〇一六年八月一日号）

「福田尚代　水枕 氷枕」展

金沢の浅野川のほとりに山鬼文庫という私設図書館がある。金沢美術工芸大学で教鞭を執っていた森仁史の個人の蔵書をカフェとして公開している。料亭だった築百年の建物を使用し、二〇一三年にオープンした。ここで福田尚代展「水枕 氷枕」を開催している。

福田はこれまでに、国立新美術館の「ARTIST FILE 2010」や東京都現代美術館の「MOTアニュアル 2014」でも作品を発表しているが、私が作品を見るのは今回が初めてであった。事前に見た図録からは、言葉を扱う作家という印象をまず受けた。例えば、「巡礼／郵便」シリーズは、受け取った私的な手紙の文字を糸で刺繍し、文字は読めなくなってしまっている作品である。今回出品されている《作文、詩、読書感想文》も、福田自身が幼少のころに書いた作文の原稿用紙のマス目を切り抜いた作品だ。文字が書かれていなかったマス目や、赤いペンで先生が書いた花丸はそのまま残されている。福田は美術作品の制作と平行して盛んに回文をつくっており、回文集を何冊も発行していることも図録から知った。それも言葉を扱う作家という印象を強くした。

言葉を扱うということから、私は福田展を見に行く前に、二つのことを想像した。一つは、金沢の作家、セシル・アンドリュの作品との類似である。アンドリュも、読んだ本の文字を一字一字修正液で消す作品や、原稿用紙のマス目をモチーフにした作品を制作している。アンドリュは作品制作を通じて、概念的な言葉と身体との関係という哲学的なテーマに取り組んでいる。もう一つの予想、あるいは期待は、蔵書を使うなど山鬼文庫となんらかの関係を持つ新作があるだろうということである。以前の河口龍夫展では、山鬼文庫の蔵書を使った新作も二点含まれていたからだ。

福田尚代《作文、詩、読書感想文》2010年（左）、《翼あるもの：『エミリーはのぼる』》2003年（右）［撮影：池田ひらく、写真提供：山鬼文庫、協力：小出由紀子事務所］

セシル・アンドリュ《定時課》1990年（部分）
［撮影：木奥惠三、写真提供：金沢21世紀美術館］

だが、実際に福田の作品を見た印象はアンドリュとはかなり違っていた。展示作品には、夢の中の世界や影、目に見えないものに向き合うという面が強く現れていた。消しゴムを削ってつくったさまざまな造形物を八畳の部屋の真ん中二畳に放射状に並べた《漂着物》から特にそのことを感じた。消しゴムは文字を消す文房具であるという点では言葉との接点がある。だが、この作品で強い印象を与えるのは、中心のベッドの形と、その周囲の

福田尚代《漂着物》2010-2016年（部分）（上）、《書物の骨》2003–2010年（下）［2点ともに、撮影：池田ひらく、写真提供：山鬼文庫、協力：小出由紀子事務所］

造形物の形である。船や机、墓といったモチーフは福田が夢に見たものと関係しているという。ほかにも、文庫の背表紙の部分のみを切り取った《書物の骨》は、用意されたちゃぶ台の上にではなく、その下の影の部分に並べられていた。

おそらく、言葉や手仕事といった福田の作品の持つさまざまな要素のうち、まどろみの中の世界が山鬼文庫では強調されて現れたのであろう。福田はオープニングに合わせて行われたトークで、山鬼文庫での展示を構想するにあたり、横に流れ続ける川や、これまでこの場所で働いてきた無名の女性の存在を強く感じ、そのことに触発されたと語った。目には見えなくとも、建物にはそのような記憶が宿っており、福田はそれを感受したということだろうか。そして目には見えないその影が、福田のまどろみの世界を刺激したのだろうか。

展覧会には山鬼文庫の蔵書と絡む新作もなかった。同じトークで福田は言葉について「川や雨のようなもの」と語った。世界の中を巡るものというイメージだろうか、意外にも、福田にとっての言葉は、文庫の書物の中にではなく、脇を流れる浅野川の方にあったのだ。それを聞いて、福田が散文ではなく、回文に関心を寄せる理由が少し分かったような気がした。回文をつくることは、自分の語りというよりは、言葉の世界にある法則を発見するような行為なのだろう。福田の展覧会とトークは、言葉というものに対する自分の概念を更新させられる経験であった。

（二〇一六年一一月一日号）

「粟津潔と建築」展

二〇一四年にスタートした「粟津潔、マクリヒロゲル」シリーズの第三回目として、「粟津潔と建築」展を企画した。金沢21世紀美術館は二〇〇六年から〇七年にかけ、粟津デザイン室より約三千件の作品・資料を受贈した。二〇〇七年には、「荒野のグラフィズム」と題した個展を開催し、私はカタログに「粟津潔とメタボリズムの思想」を執筆した。展覧会終了後もレジストラーやアーキビストが作品情報の整理を進め、二〇一二年にコレクション・カタログを発行した[1]。その後、さらに調査と整理が進められ、成果の一部は、パフォーマンス、一九六〇年代の視覚表現の展開

黒川紀章 KUROKAWA Kisyo
CAPSULE
黒川紀章の作品
metabolism
黒川紀章の作品
META
metabolism

粟津潔、マクリヒロゲル3「粟津潔と建築」展、展示風景
[撮影：木奥惠三、写真提供：金沢21世紀美術館]

をテーマに「粟津潔、マクリヒロゲル」シリーズとして二回の展覧会と記録冊子〔2〕のかたちで公開された。

私は日本美術オーラル・ヒストリー・アーカイヴという活動で川添登へのインタビュー〔3〕を実施するなど、粟津潔とメタボリズムの関係について調査を継続していた。町家など日本の伝統的な民家への関心を強めながら、一九五〇年代から六〇年代にかけて活発に議論された日本の伝統と最先端の現代建築との関わりについても興味を惹かれていた。メタボリズムに関しては、二〇一二年に森美術館で回顧展が開かれ、されにハンス・ウルリッヒ・オブリストとレム・コールハースによるインタビューに基づく書籍『プロジェクト・ジャパン』〔4〕も出版され、再評価が進んだ。

こうしたことを受け、今回「粟津潔、マクリヒロゲル」シリーズの三回目を担当することになった私は、「建築」をテーマに、「荒野のグラフィズム」展後に受贈した資料も含め展覧会を構成した。「メタボリズムと万博」「建築家との協働」「建築雑誌のデザイン」の三つのセクションを設け、空間的なデザインの記録写真やデザインした書籍など約四〇件を展示した。

今回、調査した中で特に刺激を受けたのは、京都信用金庫の「コミュニティ・バンク」構想である。一九七〇年に理事長に就任した榊田喜四夫が、川添登などによるシンクタンクCDIをブレーンに起用して展開したもので、全国区の都市銀行とは異なり、信用金庫は地域の経済と文化を支えてゆく存在になるべきだという考え方である。菊竹清訓が店舗の建築設計を行い、粟津潔は、色彩計画や壁画などを担当した。例えば田辺支店では、通常ならば三時に閉まってしまうシャッターを、建物の外側ではなく、カウンターの前に取り付けた。それにより、銀行の閉店後もロビーは子供のための広場として開放され、二階のコミュニティ・ホールへのアプローチともなった。粟津はこのカウンター前の移動式シャッターに壁画を描いている。万博に向かう高度経済成長期にあたる一九六〇年代に対し、七〇年代はオイルショックなど経済的にも停滞する時期である。そのような時期に「コミュニティ」への関心が高まることは、現在の日本の状況に照らしても興味深い。京都信用金庫より『コミュニティ・バンク論』というコンセプト・ブックも出されているが[5]、「バンク」を「ミュージアム」に置き換えて読めば、今日でもそのまま通用しそうな内容である。七〇年代のコミュニティ論を参照することによって、今日のコミュニティ論を相対化し、より冷静に考えることができるだろう。

（二〇一六年一一月一日号）

注

[1]『粟津潔　マクリヒロゲル　金沢21世紀美術館コレクション・カタログ』現代企画室、二〇一二年

[2] 北出智恵子編著『粟津潔、マクリヒロゲル1「美術が野を走る──粟津潔とパフォーマンス」／粟津潔、マクリヒロゲル2「グラフィックからヴィジュアルへ──粟津潔の視覚伝達論」』金沢21世紀美術館、二〇一六年

[3]「川添登オーラル・ヒストリー」（インタビュアー中谷礼仁、鷲田めるろ）日本美術オーラル・ヒストリー・アーカイヴ

[4] レム・コールハース、ハンス・ウルリッヒ・オブリスト『プロジェクト・ジャパン──メタボリズムは語る…』平凡社、二〇一二年

[5] 川添登、榊田喜四夫編著『コミュニティ・バンク論』京都信用金庫、一九七三年。ＣＤＩ編『コミュニティ・バンク論Ⅱ』京都信用金庫、一九八三年

「都市とアートの文化考」

ヘルシンキ・グッゲンハイム美術館は、最終的には実現しない結果となったが、二〇一四年から一五年にかけてその建築の国際コンペが行われ、一七一五の応募案の中からモロークスノキ建築設計の案が選ばれた。ニコラ・モローと楠寛子が二〇一一年にパリで設立した設計事務所である。昨年（二〇一六）一二月、東京都港区の建築会館にて、このコンペ案に関する展示と講演会が行われた。私は、登壇者の一人として講演会に参加し、直接モロー、楠より話を伺う機会を得た。

講演会の前半はコンペの方法に関する内容で、審査員の一人を務めたアトリエ・ワンの塚本由晴より、時間をかけた丁寧なコンペのプロセスが紹介され、都市計画・建築計画を専門とする小野田泰明が東日本大震災復興におけるコンペの事例なども比較例として紹介した。後半は、モロークスノキ案を中心とした議論で、モロー、楠によるプレゼンテーションの後、美術館の建築について著者がコメントをした。モロークスノキ案のテーマが「Art in the City（都市の中の美術）」であったため、講演会後半の応答も概ねこのテーマに沿って展開した。以下では、当日の私の発言と一部重複するが、後日あらためて考えたことも含め、考えを示したい。

一九九九年に金沢21世紀美術館の建設事務局に着任し、その設計にキュレーターの立場から携わったが、この建築のコンセプトは「美術館は都市であり、都市は美術館である」だった。金沢21世紀美術館は、展示室が分散的に配置され、展示室同士の間には街路のように廊下が巡らされている。来館者は一定の順路に沿って誘導されるのではなく、さまようようにいろいろな順番で展示室の間を巡ることができる。モロークスノキ案も、さまざまなサイズの展示室が廊下を挟んで配置され、廊下は建物の外部に開かれていた。この点で金沢21世紀美術館と類似しているように感じられた。

「都市とアートの文化考」展示風景［撮影・写真提供：加藤詞史］

だが、それらの展示室を使う主体の点では大きな違いがある。ヘルシンキ・グッゲンハイム美術館では、当然のごとく、展覧会を主催するのは美術館だが、巨大な市民ギャラリーがある金沢21世紀美術館では、美術館が主催する展覧会と、別の主体が主催する展覧会が同時に行われている。一五〇〇平方メートルにも及ぶ市民ギャラリーの面積は、一般的な地方美術館の展示室全面積に相当する。新聞社の主催する公募展や企画展、美術団体の主催する団体展、大学の卒業制作展や小中学校の作品展、書道や生け花の公募展、写真同好会や日曜画家、パッチワークの会などの展覧会。こうした多様な展覧会が美術館主催の企画展やコレクション展と同時に開催され、さ

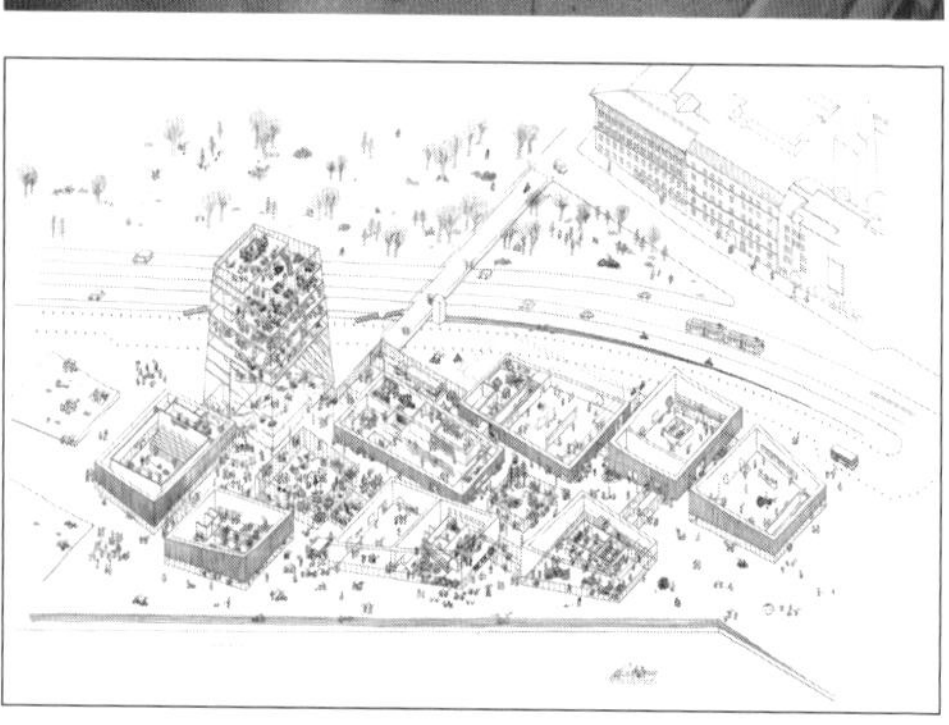

ヘルシンキ・グッゲンハイム美術館　モロークスノキ案
［写真提供：MOREAU KUSUNOKI］

まざまな観客を呼んでいる。開館後、市民ギャラリーの活況を目の当たりにし、こうした異種混交性こそが、「都市的」と呼びうるものであり、「美術館が街である」ことを体現しているのではないかと私は考えるようになった[1]。

金沢21世紀美術館が、主催展で使う展示室と市民ギャラリーという二つの大きなボリュームを対峙させるのではなく、前者を小さなボリュームに分割した上で、間に廊下をおいて分散させたことは、一つの建物の中に異なる主体を共存させる上でうまく機能した。一方でモロークスノキ案が採用した分散性は、上質な、だがSANAAよりは閉じた、槇文彦的な都市性である。講演会で楠は、金沢21世紀美術館について、廊下を移動している際に、向こう側が見え隠れする点に惹かれるとも話していた。先に「槇文彦的な」と述べたのは、この「見え隠れする」という言葉から私が連想したことである。「見え隠れする都市」は、言うまでもなく、「奥性」と共に槇のキーワードである[2]。ヒルサイドテラスは、そのコンセプトを体現する傑作とされる。ヒルサイドテラスは、槇の「群造形」の考え方を示したものであり、都市に大きな「メガ・フォーム」をつくるのではなく、小さく分割して分散的に配置し、その間をヴォイドによってつないでいる。「プラザ」や「ペデストリアン・デッキ」というヴォイドを巡る間に、建物の向こう側が見え隠れするというのが槇のコンセプトであった。楠が金沢21世紀美術館に見たものは、このような槇的な分散性であった。金沢21世紀美術館の建物をそのように評価してもらえることは単純にうれしいが、金沢21世紀美術館の持つラディカルな部分、すなわち、異種混交的な都市性とは違う面を楠は見ているのではないか。ヒルサイドテラスの敷地は、全体が朝倉家の土地であり、建物のクライアントは朝倉家である。美容院やレストランなどのテナントも文化的価値を生み出すように慎重に選び取られた。こうした意図的な選別が、ヒルサイドテラスの上質性を生み出している一方で、閉鎖感をもたらしている。槇的な上質な都市性に対して、一九九〇年代、異種混交性に着目して東京の都市を捉えたのが、モロークスノキ案を選んだ審査員の一人である塚本のアトリエ・ワンによる「メイド・イン・トーキョー」や「ペット・アーキテクチャー」であった。

もっとも、モロークスノキ案のテーマは、「都市の中の美術」であり、金沢21世紀美術館のように「美術館は街である」ことを目指したわけではない。ヘルシンキ・グッゲンハイムによるコンペの要件にそのような異種混交性はそもそも含まれてはいない。だから都市的なものが美術館に内包されていないのは、建築家の責任ではないと言うこともできるだろう。しかし、最終的にヘルシンキ・グッゲンハイムが実現しなかった事実を前にすると、グッゲンハイム美術館の与件に対して、必要な美術館の役割を建築家が提案できるべきだったのではないかと思う。その建築計画を含めて建築家が提案できなかった点にこのコンペの限界がある。人口が増加し、経済成長が続き、建築を建てることを疑う必要がない時代や地域ならともかく、成熟した先進国においては、その建築をそもそも建てるべきか否かも含めて建築計画を総合的に考えるべき役割を建築家は求められている。最終的に計画が中止になった理由は定かではないが、楠によると、ヘルシンキの街には、アメリカ合衆国からグッゲンハイム美術館を誘致すること自体に反対する声もあったという。結果論だが、ヘルシンキ・グッゲンハイムがグローバルなグッゲンハイムのコレクションと、地域の美術を支援する機能とのハイブリッドなものになっていたら、もしかしたら、ソフトランディングが可能だったかもしれないとも感じる。

ヘルシンキの街に、アメリカ合衆国の美術館を受け入れるべきか否か。グローバリゼーションに反対する保護主義の高まりが目に付く中、私は、受け入れることでヘルシンキという街の異種混交性、すなわち都市性を高めることにもなると思う。グッゲンハイム美術館のグローバル戦略について、その可能性を見いだしているのは光岡寿郎だ。論文「グローバル化の分光器としてのミュージアム」では、グッゲンハイム・ビルバオを題材に、グローバルなグッゲンハイム美術館が、スペイン内でのマイノリティであるバスク文化に目を向けさせる可能性を示唆している[3]。ヘルシンキ・グッゲンハイムもヨーロッパの中では周縁的なヘルシンキやフィンランドの文化と関係を結ぶ可能性はあっただろう。光岡は、ビルバオの街でバスク文化の拠点となるカフェ・アンツォキアに着目し、美術館を経由地として外から訪れる人たちが地域と出会う機会が生まれることを評価している。美術館の機能の中に地域との接点となるものを含み込んでいれば、「都市の中の美術」というコンセプトはより現実に近づいたのではないだろうか。

その意味で、私が今回のコンペのプロセスとモロークスノキ案で最も評価したいのは、地域のアーティストが発表できるためのスペースをコンペの途中で設けたことである。楠によると、最初の案を提出した後、グッゲンハイム美術館の誘致に反対するアーティストたちの話を聞く機会があったという。それを受けてモローと楠は、自分たちの案に、若い地域のアーティストが発表するためのギャラリーを追加した。クライアントだけでなくさまざまな異なる使い手に向き合い、混交する場をつくり出すことが、都市の中の美術に一歩でも近づくための道である。

（二〇一七年二月一日号）

注

［1］「妹島和世インタビュー　新しい公共性について――二〇〇〇年以降の建築実践」（『artscape』二〇一一年二月一五日号　https://artscape.jp/focus/1229986_1635.html）

［2］槇文彦ほか『見えがくれする都市』鹿島出版会、一九八〇年

［3］芹沢高志、鷲田めるろ、光岡寿郎「二〇〇〇年以降の日本各地のアート・シーンを振り返る――〈Dialogue Tour〉総括にかえて」（『artscape』二〇一一年九月一五日号　https://artscape.jp/dialogue-tour2010/10010771_3388.html）

CAAK: Center for Art & Architecture, Kanazawa の十年間

私も設立メンバーの一人として関わった金沢の美術、建築系の団体CAAK: Center for Art & Architecture, Kanazawaが三月末をもって解散した。美術と建築を横断して議論できる場をつくろうと、二〇〇七年から約十年にわたり、金沢の寺町にある町家を拠点に四八回のレクチャー&パーティ、二四組のアーティスト・イン・レジデンスなどを行った。

CAAKは、金沢21世紀美術館が主催したアトリエ・ワンの「いきいきプロジェクトin金沢」が契機となり、そのスピンアウト企画のようなかたちで、同プロジェクト終了後に始まった[1]。金沢を訪ねてくる人にレクチャーを依頼し、その後、ゲストを囲んで歓迎パーティを行う「レクチャー&パーティ」、ゲストがしばらく滞在する「クリエーター・イン・レジデンス」が当初より中心的な事業であったが、二〇一〇年より後者が本格化し、最後の三年ほどは、レジデンス事業が活動の中心となった。

二〇一〇年よりレジデンスが活発化したことにはいくつかの要因がある。第一に、メンバーである私が、二〇〇九年に半年間、ベルギーのゲント市に滞在したこと。この間に多くのアーティストと知り合い、その中には、金沢で滞在制作をしたいと言う人もいた。ゲントでの滞在は勤務先の美術館の派遣であったが、美術館が滞在施設を持

っているわけではない。ゲント滞在中に世話になった恩返しという気持ちで、金沢に来てくれるアーティストには少しでも滞在をサポートできるようレジデンスを整備した。実際、ゲントからのアーティストも多くCAAKに滞在した。第二に、日本のレジデンス施設に関するデータベースサイト、AIR_Jの立ち上げである。ここに登録されたことで、CAAKのような小さな団体にもレジデンスの申し込みがあった。小さな団体の場合、アーティストの認知を得るのが最大のネックとなる。AIR_Jのようなマッチング・サービスはそれをカバーしてくれる。レジデンス事業は、金沢にある別のアート系任意団体のKapoと共同で行ってきたが、CAAK解散後は、Kapoに引き継がれる。

レクチャー＆パーティ（CAAK Lecture 35 中崎透／臼井隆志「遊戯室について／アーティストイン児童館について」、2010年8月28日。artscape「ダイアローグ・ツアー」の一環）

このほかにも、建築を巡るツアーや、展覧会、ワークショップ、町家に残されたひな人形を飾ってのひな祭りなど、さまざまな事業を行ってきた。個人的には、二〇一〇年に金沢青年会議所が主催した「かなざわ燈涼会」にCAAKが参加して行った岩崎貴宏の展示が、その後のつながりという面では大きい。この時初めて私は岩崎と仕事をし、さらに展示を見た尺戸智佳子が、その後黒部市美術館の学芸員となり、二〇一五年に岩崎の個展を企画した。岩崎と仕事をしたときの経験、そして、黒部市美術館と小山市立車屋美術館を巡回した個展を見たことにより、私は昨年（二〇一六）ヴェネチア・ビエンナーレのコンペに指名された際、岩崎の個展を提案することに決めた。

解散の直接のきっかけは、拠点としていた町家が三月で使えなくなったことだが、ほかにもメンバーのライフステージが上がり、活動のための時間がなかなか取れなくなったことや、金沢でも芸宿など、若い世代によるCAAKのような活動が生まれてきたことなどが挙げられる。

NPO団体のように比較的しっかりとした組織に比べて、より小さくてカジュアルなスタイルのCAAKのような活動は、二〇一〇年ごろに日本のほかの地域でも見ることができた。一つ一つは極小の活動ではあるものの、それらを複数紹介することによって、ある動きとして見せようとしたのが、artscape開設一五周年を記念した二〇一〇年の「ダイアローグ・ツアー」であった。このツアーで回ったのは、北から青森のMAC、水戸の遊戯室、金沢のCAAK、京都のhanare、大阪の梅香堂、岡山のかじこ、山口の前町アートセンター、沖縄の前島アートセンターの八カ所である。このうち、MACは活動を休止、梅香堂は、二〇一三年に主宰者の後々田寿徳が亡くなったことにより終了、かじこは鳥取に移動して「たみ」として再出発、前島アートセンターは二〇一一年に十周年を機に解散した。

いま、あらためて振り返ってみると、こうした活動は、TwitterやUstreamといった当時新しく出てきたメディアとの関係が強かった。新しいメディアを使いながら、その可能性を発見していくことと同時進行で、CAAKなどの仕組みの実験をしていた。このことは当時から意識していたが、こうしたメディアの新しさが失われると共に、CAAKなどの活動の勢いも失われていったように感じる。Ustreamが新鮮だった時の盛り上がりのピークが、おそらく、二〇一〇年にキュレーターの服部浩之が国際芸術センター青森で企画したNadegata Instant Partyによる「24 OUR TELEVISION」であっただろう。

当時書いたダイアローグ・ツアーの「宣言文」の冒頭では、先行する世代、例えば、村上隆や中村政人、北川フラムなどと対比的に書いていて、その対比はいまも修正すべき点は無いと思われる。一方で、後続の世代が現れてくると、それとの比較も書いておかねばなるまい。昨年（二〇一六）、服部がディレクターを務めていたアーカスに、インディペンデント・キュレーターの長谷川新と私を呼んで「オープンディスカッション」をした。一九八八年生まれで、現在は金沢に住み、芸宿などにも関わる長谷川に、CAAKなどの活動と、芸宿などとの違いについて、話を振ってみたところ、「上の世代は、やたらと団体にして名前を付けたがる」と言っていて面白いと思った。我々にとっての「ゆるさ」は、いまと比べれば、まだまだ固かったのかもしれない。団体をでっち上げることで、公的なそぶりを見せつつ、公的なものを茶化そうという、メジャーとマイナーのかく乱自体に面白さや新しさがあったように感じる。

十年間の活動を通じて、さまざまな出会いや議論を生み出すことができた。各メンバーや、さまざまな催しに参加し協力してくださった人たちの中にそれは残り続けるだろう。新鮮な驚きを持って、みずみずしいメディアの使い方を実験し続けるのに、十年は十分に長い期間であった。また新たな実験に踏み出そう。

注

[1] CAAK発足の経緯については以下の文献を参照。鷲田めるろ「まちと美術館の中間地点を」(熊倉純子監修、菊地拓児、長津結一郎編『アートプロジェクト』水曜社、二〇一四年、一一五―一一九頁所収)

(二〇一七年四月一五日号)

第五七回ヴェネチア・ビエンナーレ日本館「岩崎貴宏 逆さにすれば、森」展

第五七回ヴェネチア・ビエンナーレが開幕した。今回、私は日本館のキュレーターを務めることになり、岩崎貴宏の個展を企画した。イタリアの出版社SKIRAから発行した日本館カタログに寄せた文章では、海外の人たちに向けて、岩崎の作品を読み解く上で参考となるであろう、日本の歴史的な文化と現在の社会状況を説明した。ここでは、岩崎を特徴づける、場所との関わりに絞って、日本館の展示作品について書く。

今回、七点の立体作品と六点の平面作品を展示した。平面作品は、ペンで描いたドローイングや、コピー用紙を使ったコラージュで、岩崎がこうしたドローイングやコラージュを作品として展示するのは今回が初めてである。これらは立体作品の初期段階の構想スケッチや、背景となる考え方を示す図のようなもので、あくまで展示の中心は、

日本館展示風景。手前の床の作品は、岩崎貴宏《Out of Disorder (Mountains and Sea)》2017年［撮影：木奥惠三、写真提供：国際交流基金］

従来発表してきた立体作品である。

七点の立体作品のうち三点はサイト・スペシフィックなインスタレーションである。まず、《Out of Disorder (Mountains and Sea)》が挙げられる。日本館の展示室の床には、下のピロティに向けて開けられた窓がある。この窓を生かす展示を考える過程からこの作品は生まれた。岩崎は窓の周りに衣類やシーツ、タオルを洗濯物の山のように積み上げた。展示室側の観客は見下ろすように、ピロティ側の観客は仮設の階段を上って間近から見上げるように眺めることができる。この布は展示室側から見たときは牧歌的な山々に、ピロティ側から見たときは海沿いの工業地帯に見える。この窓が無ければ成立しない作品だ。

次に、日本館の屋外にある「GIAPPONE」（日本）という会場サインに靴下を引っ掛けた《Out of Disorder (Upside Down)》。《Out of Disorder (Mountains and Sea)》の洗濯物の一つが風で飛んでいって引っ掛かったような様子の作品だ。これもほかの場所では成立しづらい。のちにどこかの立派な美術館で展示する際に、その美術館の名前を示すサインに引っ掛けることで再現が可能かもしれないが、それでも「日本」という国名と日常的な靴下との組み合わせのギャップが生み出すユーモアには及ばないであろう。

サイト・スペシフィックなインスタレーションの三つ目は、デッキブラシを使った作品である。この作品の場合は、場所との関わり方は二つの層(レイヤー)に分けられる。一つ目の層は、展示される場所との空間的な関係である。作品に使われたデッキブラシは、展示作業がほぼ完成した時、展示室の大理石の床にワックスをかけるために使用したものである。岩崎はそのデッキブラシとワックスのボトルを、掃除の後うっかり置き忘れたかのように床に並べた。二つ目の層は、ヴェネチアの街とのつながりである。ヴェネチアの街は、ラグーン(潟)の上につくられている。街を築く際に無数の木の杭を打ち込んで土台とした。岩崎は、デッキブラシのブラシ部分をその杭に見立て、ブラシの上に載せられた雑巾の上に、その糸でヴェネチアのサンタ・マリア・デッラ・サルーテ教会をつくった。このように、この作品は、日本館の建物とヴェネチアの街という二つの文脈と関係していることになる。ただし、日本館との関係は目でも見える空間的な関係だが、ヴェネチアの街との関係は頭の中のイメージを介した関係である。地中の杭は実際に

岩崎貴宏《Out of Disorder (Turned Upside Down, It's a Forest)》2017年［撮影：木奥惠三、写真提供：国際交流基金］

は目で見ることはできず、サンタ・マリア・デッラ・サルーテ教会も作品が置かれている日本館から見えるわけではないからだ。大理石の床を持つヴェネチア市内の部屋に限定するなら、この作品は別の場所でも再現可能かもしれない。この作品には展覧会タイトルとの関係もある。展覧会タイトルの「逆さにすれば、森」もまた、ヴェネチアの地下の杭にちなんでいる。タイトルとの関連も含めれば、デッキブラシの作品は場所との三重の関わりを持つ。そのため、パズルの最後のピースがぴたっと合うかのように、この場所に嵌っている。

空間の観点では自律する四つの作品も、素材の観点では場所との関連性がある。岩崎は日常的に身の回りにある素材を作品に使うことが多い。《Out of Disorder (Offshore Model)》では、ヴェネチアの商店街に捨てられているゴミから岩崎の好みに合うものを拾って素材にした。また、本を使った作品《Tectonic Model》には現地の古本屋で買った本も使われている。こうして生まれた作品は、別の場所の美術館に展示しても作品として成立するが、最初に制作、公開された場所の痕跡を素材の面でとどめている。

《Out of Disorder》に使われているゴミと比べて、《Reflection Model》に使われている檜は高級な素材である。前者がクレーンのようなありふれた工業的な構築物をモチーフにしているのに対して、後者が国宝級の歴史ある建築物をモチーフにしていることも相まって、これら二つの作品は対比的に捉えられることも多い。しかし、日本を拠点にしながら、招聘先の海外で制作することも多い岩崎は、経験上、檜は日本でしか手に入りにくい素材だと言う。つまり、岩崎が檜を素材に使うのは、高級だからではなく、日本で制作する際に入手しやすいからだ。こうした観点からは、制作場所で手に入りやすい素材でつくっているという共通性を両方の作品に見いだすことができる。《Reflection Model》はモチーフだけでなく素材の面でも日本という制作場所と結びついているのだ。

岩崎貴宏《Reflection Model (Ship of Theseus)》2017年
［撮影：木奥恵三、写真提供：国際交流基金］

このように岩崎の作品は、ある特定の場所によらずに成立する作品でも、インスタレーションでも、多かれ少なかれ場所との関係を持っている。そのため、ヴェネチアの中にある日本館という二重化された文脈で、どちらに引きつけて見せるのかというバランスは、今回の展示をつくるにあたって、作家の岩崎にとってもキュレーターの私にとっても、考えるべき重要なポイントとなった。具体的には、《Tectonic Model》に使う本を、英語の本にする

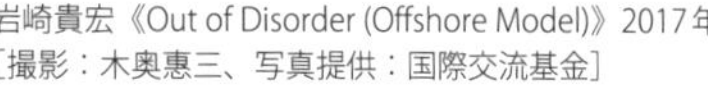

岩崎貴宏《Out of Disorder (Offshore Model)》2017年
［撮影：木奥惠三、写真提供：国際交流基金］

会場近くのガリバルディ通りで、ゴミの中から素材を探す岩崎貴宏
［撮影：著者］

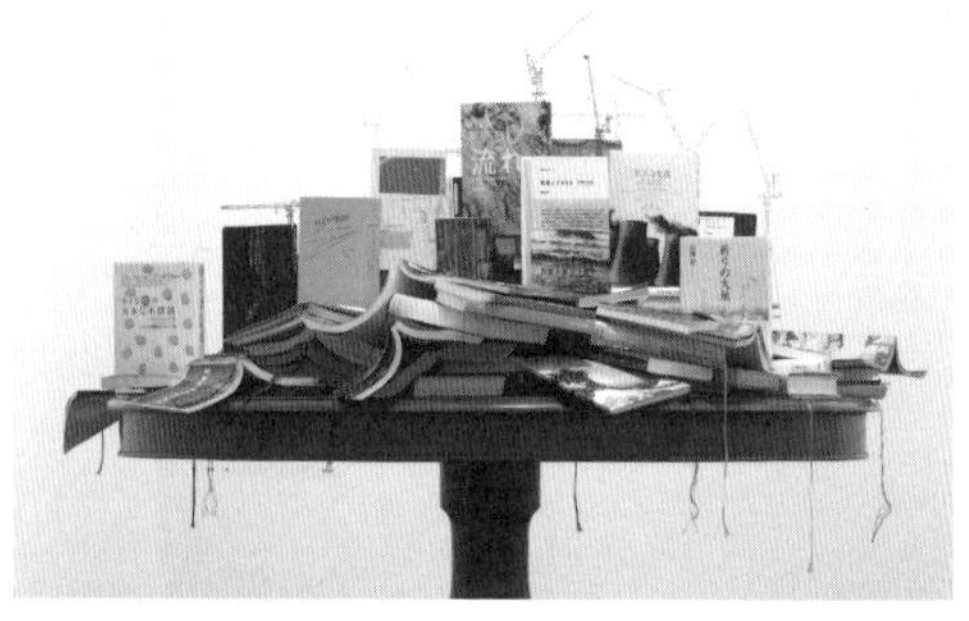

岩崎貴宏《Tectonic Model (Flow)》2017年
［撮影：木奥惠三、写真提供：国際交流基金］

のか日本語の本にするのか、《Out of Disorder (Offshore Model)》に使う衣類やタオルをイタリアのものにするのか、日本からのものにするのか、といった選択の場面で、そのバランス感覚が問われた。最終的に、衣類には日本から持って来た浴衣や手ぬぐい、日本のアニメのキャラクターがプリントされたタオルなど、日本的な記号もちりばめられた。これを西洋のオリエンタリズムへの迎合と見る人もいるかもしれない。だが、アニメのモチーフは、ビエンナーレ会場周辺の道で、細い路地をまたぐように干されたカラフルな洗濯物の中に岩崎が見つけたセーラームーンのタオルに着想を得ていることは述べておきたい。岩崎の作品中に現れる日本のアニメのキャラクターも、実はヴェネチアの街とつながっているのだ。さまざまな面で場所とつながっている点が岩崎の作品の一つの重要な特徴と言えるだろう。

（二〇一七年七月一五日号）

「越後正志　抜け穴」展

富山県砺波平野にギャラリー無量という小さなギャラリーがある。アーティストの小西信英が、自宅である古民家を改修して作品の展示空間とし、カフェも併設している場所だ。ここで、越後正志の個展「抜け穴」を企画した。越後はイギリスやベルギーなどヨーロッパでのキャリアが長いアーティストだが、日本に拠点を移してからも、二〇一三年の瀬戸内国際芸術祭に参加するなど活躍している。

私が初めて越後の作品を知ったのは二〇〇九年だった。当時彼は、別の場所からものを集めてきて、それを並べ、展覧会が終わったらもとの場所に戻すというインスタレーションを制作していた。物体に手を加えて変形したり、くっつけたりするのではなく、純粋に場所を移動させることで作品化するという手法のシンプルさ、そして、空間でのインスタレーションの建築的なスケール感が魅力的だった。ものを借りてくる過程で、地域の人との関係を紡ぐことに重点を置いた作品もあった。

その後、こうしたインスタレーション作品と並行して、越後はオブジェクトとしての作品も試みていた。今回の「抜け穴」展に出品した作品の一つ《People looking through your legs》は、二〇一二年にゲントの大聖堂を会場にヤン・フートが企画した「Sint-Jan（聖ヤン）」展で最初に発表したものだが、穴を空けた丸太を三本横たえて組み合わせたものだ。この作品には、越後が小動物の巣穴を写した写真が伴っている。丸太に空けた穴は円形で、丸太の円柱形を反復し、丸太の中が詰まったポジに対して、穴は中空のネガという関係をなしている。また、丸太が横たえられているのは、会場となった教会の柱や自然に生えている木の垂直性に対し、水平性を出すためであった。今回の「抜け穴」展では、この作品を出発点に置き、「移動」という関心は引き継ぎながらも、それを「彫刻」や「写真」というメディアに広げ、深めている越後の新たな展開を示そうと考えた。

ギャラリー無量外観［撮影：著者］

出品作品四点のうち、《Circulation of a truth》は、約一年前、アメリカのポートランド滞在中に制作した近作だ。写真二点と真鍮の立体一点で構成される。現地で出会った人が大切にしていたバラの木を植木鉢に移し替え、越後のスタジオへ移動した。ここまでは、かつての越後のインスタレーション作品の手法に近い。しかし越後はその後、このバラの枝の先端を型取りし、真鍮に置き換えた。この鋳造には、枝を焼失させながら行う手法が用いられている。バラがあった部分は焼けて中空となるが、その立体的な輪郭だけは型に転写される。そしてその中空に金属が満たされ、輪郭は再び反転しながら金属の表面となる。金属に置き換えられたバラは、アメリカから日本へと空間を越え、また、枯れることなく時間をも越えて移動する。「鋳造」という伝統的な技法が、「ネガ」と「ポジ」という関係を介して、「移動」をモチーフとするインスタレーショ

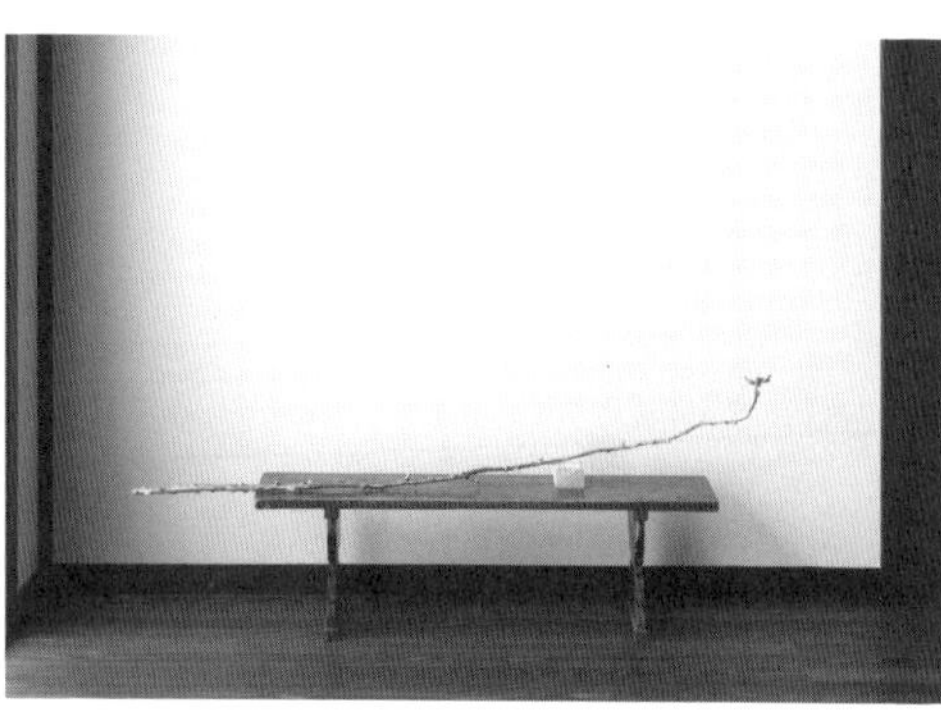
越後正志《Circulation of a truth》2016年

越後正志《People looking through your legs》2012年
［上2点、撮影：柳原良平、写真提供：ギャラリー無量］

ンと接続されている。

このバラの作品を展開するように、越後は本展に合わせて二点の新作をつくった。その一つ《A disappeared pillar》は、取り壊された家の柱を焼失させながら型取りした、その型自体であった。本来、この型は鋳造が終わったら廃棄されるものである。それを不安定に積み上げたこの作品は、もろくて、展覧会中も小さな破片がぼろぼろと落ちていた。鋳造されたバラがポジだとすれば、これはネガの展示である。重量のある型が重力に抗して積み上げられた様子は垂直性が強調されていて、《People looking through your legs》の横たえられた丸太と対比をなしていた。

現在、私は、日本の一九八〇年代の美術に関する展覧会を準備している。具体やもの派など、七〇年代ごろまでの日本の美術が国内外で注目を集める中、八〇年代は、それ以降のポップな美術に影響を与えたサブカルチャーの時代としてしか評価されなくなっている傾向がある。だが、この時代に絵画や彫刻に取り組んだ作家たちの仕事を再評価し、今日の美術と関連づけるというのが展覧会の主眼だ。その中でも私が重視している作家の一人は戸谷成雄である。高村光太郎や橋本平八を引き継ぎながら一九七〇年代以降「彫刻」の問題に向き合った戸谷成雄は、彫刻はマッスの表面しか見ることができないことに着目し、彫刻のネガとポジの関係を追求した。ベスビオ火山の噴火の溶岩に包まれた人体が、焼失して失われつつも、中空としてその形を残したことに触発された最初期の作品《POMPE II : 79》（一九七四）にも、戸谷のこの関心は示されている。八二年生まれの越後の作品は、本人はまったく意識していないにもかかわらず、この戸谷の関心を引き継ぐもののように私には見える。

「移動」が本展を貫く主たるモチーフだとすれば、本展に見られるもう一つのモチーフは地域性である。越後はヨーロッパでのキャリアが長く、自ずとヨーロッパと日本との間にある自らのアイデンティティを意識している。ギャラリー無量の建物は、砺波平野にある伝統的な散居村の形式を持つ。《People looking through your legs》における丸太の水平性に対する《A disappeared pillar》での柱の垂直性という対比は、この伝統的な建物から触発されたものだ。さらにもう一つ、越後の生まれた地である富山という地域性がある。越後は富山県福岡町で生まれた。福岡町は現在隣接する高岡市に合併されているが、高岡では江戸時代より鋳造が盛んだ。本展を貫くネガとポジの関係に鋳造という技術は密接に関わっている。今回の展示でも作品の修復に際してこの高岡の歴史に助けられた。世界の中での日本、さらにその中での高岡という二つの地域性が本展の作品には流れている。そして先に触れた、高村、橋本、戸谷も、マッスか表層かという狭間で、西洋と日本の彫刻との間を探求し続けた彫刻家たちである。仏師の伝統を引き継ぎ、木の彫刻の表面に細かな毛並みを彫り込んだ父高村光雲を前近代的とし、光太郎はロダンに影響

越後正志《A disappeared pillar》2017年［撮影：柳原良平、写真提供：ギャラリー無量］

を受けながらマッスの表現に向かった。他方、橋本は代表作《花園に遊ぶ天女》(一九三〇)で人体の表面に花の模様を刺青のように施す。本展は、越後の「彫刻」という問題系への展開を示すもの、そしてより広くは、西洋と日本の伝統の狭間を追求するものとなった。

(二〇一七年一一月一五日号)

「TO & FRO うすく、かるく」展

金沢21世紀美術館のデザインギャラリーで展覧会を企画することになった。開館後十年以上になるが、私がデザインギャラリーで企画を行うのは初めてである。デザインギャラリーは無料ゾーンにある展示室で、開館当時は「学芸課」ではなく「交流課」の管轄であった。つまり、地域の大学や研究機関、民間企業、そして隣接するミュージアムショップと連携し、地域の産業をデザインの面から刺激することを期待されていたのだ。企画にあたり、金沢の地域の産業に向き合いたいと考えた。

金沢の産業の中心は繊維産業である。明治以降、繊維産業は全国的に産業の中核を担い、金沢は国内では後発

壁際には糸巻きを積み上げ、展示室の中央には、TO&FROの布を使った間仕切りを設置した。

であった。後発であったがゆえに、最高級品というよりは輸出向けの絹織物の生産を行った。金沢は湿度が高く、水も豊富である。この風土は、静電気を抑えるという点で織物に有利に働いた。その後、緯糸を水で飛ばすウォータージェットの開発にも一役かった。金沢は回転寿しの機械やリフトの機械などを製造している会社もあり、ニッチな分野で業界トップに位置する企業もあるが、これらももとは織機産業から発達してきた。戦後は、レーヨン、ナイロン、ポリエステルと、絹から化学繊維へ転換したが、オイルショックなど苦境を乗り越え、産業を発展させてきた。工場も土地や人件費の安い能登方面に展開した。

しかし、現在、繊維産業は全国的に大変厳しい状況に直面している。中国、続いて東南アジアなどにおいて、安い人件費で優れた生地が生産されるようになり、国内生産品は価格競争に勝てなくなった。国内市場も大量生産品は海外からの輸入が占めている。衣料分野で国内で

曲げたベニア板を糸で固定する展示台。糸の強さを示す。空間デザインは佛願忠洋
［以上２点、撮影：木奥惠三、写真提供：金沢21世紀美術館］

繊維産業を続けてゆくには、海外では生産できないほどの高機能な繊維でなければならない。もう一つの方向性は、炭素繊維など非衣料分野への展開だ。

展覧会を「ローカル・テキスタイル」という名でシリーズ化し、まず、高機能化に焦点を当てた。取り上げたのは、金沢市とかほく市に拠点を置くカジグループの「TO & FRO」というブランドである。カジグループは、薄く軽いナイロン生地を製造している。この生地は国内外のアウトドア・ブランドなどに使われている。この生地の活用例を自社で示すためにつくられたのが「TO & FRO」である。軽さをアピールするためにトラベル用品のブランドとなった。

TO & FROのもう一つの重要な点は、自社で消費者が手にする最終製品をつくっていることである。繊維業界は糸をつくる、糸を撚る、織る、染める、縫う、などの工程ごとに会社が細分化されている。それを統合していたのが商社であり、かつては金沢にも力のある商社があった。この商社が資本を用意し、糸を発注し、織りも発注し、製品をつくっていた。しかしこうした商社が経営危機に陥った際、全国的な大手製糸メーカーが救済し、以後、製糸メーカーの系列に組み込まれることとなった。現在ではカジレーネでも大手製糸メーカーから糸を預かり、その糸で生地を織り、製糸メーカーに納めている。繊維業界では、川の流れになぞらえて「川上工程」「川中工程」「川下工程」と呼ぶ。川上は製糸、川下は製品で、川中はその中間である。金沢の繊維業は、川上、川下を全国的なメーカーに握られ、川中だけを担っていることになる。そのような状況に対し、TO & FRO というブランドは、川下まで自社でやろうと試みている。さらには、羽田空港に店舗を設け、小売りまで手がけている。それにより、自社で価格を設定したり消費者から製品に対するフィードバックを得たりすることへの道が開ける。そして何よりも認知が高まる。

石川県では、全国の約四〇パーセントのナイロン生地を生産しているという。この高い数字を私は金沢に二十年近く住んでいて知らなかった。私を含む消費者が日常生活で、自分の着ている全国ブランドの服の生地が地元で生産されているかどうかを知るすべもない。私は展覧会を行うことで、金沢とその周辺で、競争力を持った優れた生地が生産されていることを少しでも知ってもらいたいと考えた。

細い糸を扱い、薄くて軽い生地を織ることができるという技術を展示で伝えるのは難しかった。最終的な製品だけを置いても、その薄さへの気づきは促せない。一方で、産業展示館のような、文字の多い説明的な展示では、感覚的な面で魅力的に映らない。私は美術の展示で空間デザイナーを入れることはほとんどないが、今回は空間デザインを佛願忠洋に依頼した。TO & FRO の羽田空港店や、展示会などのデザインを行っている新進気鋭のデザイナーだ。ブランドのデザイナーを起用することは、TO & FRO のブランドイメージを崩さないためには自然な選択だった。佛願は学生時代に大きな影響を受けたというSANAA設計の、同じく薄く軽い金沢21世紀美術館の建物に反応しながら、ユニークな展示台や間仕切りをデザインしてくれた。例えば展示台は、内装に使う薄いベニヤ板をU字に曲げ、天板にあたる部分に、TO & FROの生地や、糸を使った。板が平らに戻ろうとする力を、生地や糸で引っぱり、そのバランスで形をつくっている。この台は一つだけでもかろうじて自立するのだが、お互いに接するようにそれらを並べることで微妙なバランスを取っている。一本だとすぐに切れてしまう糸も何本もが並び、生地として織られることで強度を増すということを、什器自体で示そうとしたデザインである。また部屋の中央には、壁をつくるときに使う軽量鉄骨に、TO & FROの生地を貼って間仕切りとした。生地が薄いために、反対側の空間が透けて見える。鉄骨やベニヤ板といった建築資材と、柔らかな薄い生地とを緊張感を持ってぶつけ合う空間デザインとなった。

台の上には、さまざまな生地を置き、触って比較できるようにした。例えば、細い糸と太い糸とでは、生地になったときにどのような違いが現れるか。ほかにも絹、ナイロン、ポリエステルの違い、織りと編みの違い、加工糸と加工していない糸の違い、織りの密度の違いなどを触って確かめられるようにした。この内容はTO & FROのスタッフと詰めていったが、その過程で私が学んだのは、薄いから良いとは限らないということである。細い糸で織った生地と太い糸で織った生地には違いがあるが、どちらかが優れているというわけではなく、生産の現場では、それぞれの特徴として捉えられている。その特徴を生かした生地の使い方が求められる。手触りの良さが求められるのか、強度が求められるのか、乾きやすさか、通気性か、皺のつきにくさか。それは「しゃりしゃり」か「しっとり」かといった言語体系による言葉の使い分けのように感じられた。それまで私は、天然繊維よりも化学繊維が劣ったもののように心のどこかで思っていたが、その価値観は払拭された。自分が服を選ぶときも、化学繊維のものも天然繊維と等価に見るようになった。タグの素材の表記も熱心に見るようになった。この展覧会をつくる過程で、ずいぶん自分自身の生地に対するリテラシーが身についたと感じている。

これまでもデザインギャラリーでは多くのファッションの展覧会が開催されてきた。それらはファッション・デザイナーの展覧会であった。だが、現在のファッションは、デザイナーのクリエイティビティを追うだけでは捉えきれないと感じている。まず、ファスト・ファッションによる価格破壊があり、それは産業構造の理解と切り離せない。次に、個性を強く主張するのではなく、多くの服を所有するのでもなく、ベーシックでシンプルなアイテムを厳選して所有し、サイズや季節・TPOに合わせた素材の質感の選択に気を配るという価値観も強くなっている。そのような環境に生きる我々にとっては、デザイナーの個性よりも、産業構造やパーツとしての生地の違いに着目する展覧会の方が有効だろう。日常生活の中に意識せずに入り込んでいる、産業構造の転換と地域の現状に触れ、その状況での新たな可能性を少しでも感じてもらえたら幸いである。

（二〇一八年三月一五日号）

疾走する中国「越後正志　中国製造」展

北京に新しいアートセンター「的一芸術中心（de Art Center）」がオープンした。若手キュレーターの夏彦国が立ち上げたスペースだ。場所は紫禁城からも近い中心部である。若手と言っても夏は、その前は北京有数の現代美術館「紅磚美術館（Red Brick Art Museum）」の館長を務めていた。私は、昨年（二〇一七）初めて夏と出会い、韓国のキュレーターのコウ・ウォンソクと共に「学術委員」という立場で新しいアートセンターを構想した。そして夏によるオープニング企画に続く、二回目の展覧会を企画した。

北京のアートスペースに関わったことは、私にとって大きな刺激となった。まず驚いたのはスピード感である。一二月に会って、三月や四月に展覧会をしたいと言う。聞けば、予算もまだ当てがないとのことである。日本の美術館なら翌年度の展覧会の予算をその前年度の秋に提出するというスケジュールなので、秋にはある程度予算規模やその収入源が見えていないと展覧会をすることは難しい。しかし、「お金のことはなんとかする」と夏は言う。だが、それほど大きなスペースでもなさそうなので、最悪すべて自費でまかなう覚悟でその話に乗ることにした。結局予算に関しては、スペースの運営自体を二年間はサポートしてくれるスポンサーが見つかり、私の企画展については、北京の国際交流基金が共催で入ってくれることになった。小米（シャオミ）の機材協力を得、また、記録についても専門の会社が協力してくれた。最初は夏個人のスピード感なのかと思ったが、どうやら美術業界全体、社会全体がこのスピードで動いているようだ。

アーティストは越後正志を選んだ。昨年、富山のギャラリー無量で個展を企画した作家である。日本の作家であること、輸送をしないこと、売り物の絵画でないこと、の三点が夏からのリクエストだった。日本の作家であることは、オープニングの三企画で夏が中国の作家、私が日本の作家、コウが韓国の作家の展覧会をするという枠組みを定めたことに由来する。輸送に関しては、輸入の際に止められるなど、あまり輸送に信頼性がないというのが理由だ。絵画でないことに関しては、北京でギャラリーが乱立してすでに絵画があふれていることから、非営利の新しいスペースとして他と差別化を図ることを狙った。私としても、初めての北京で、何か北京と関わるものをつくりたかった。越後は、現地制作のできる作家で、海外経験も長くタフさがあり、誠実である。日本の感覚からすると非常に短い時間で、予算も分からない状態でよく引き受けてくれたと思う。

次に驚いたのは、SNSの使い方である。北京ではあらゆる支払いが電子化しており、スマートフォンは必須というほど普及しているが、SNSは微信（We Chat）が一人勝ちの状況である。日本がまだ、Facebook や Twitter、LINE など複数のプラットホームに細分化しているのとは対照的である。Google など西側諸国のサービスへのアクセスが制限されていることも一つの要因であると思われるが、それがSNSという範囲を超えて、支払いの手段（We Chat Pay）にもなっているという理由もあるだろう。微信上で音声メッセージを送り合うため、電話もメールもあまり使っていなかった。また、中国にはもう一つ、微博（weibo）という twitter に似たサービスがあり、以前はこちらも盛んに使われていたが、最近は微信に移行しているようだ。夏も二年ほど前は微博を使っていたが、最近はほと

オープニングトーク「越後正志的在地実践」（2018年4月22日、的｜芸術中心）。左から越後正志（アーティスト）、著者、夏彦国（的｜芸術中心主宰）［撮影：ARTEXB、写真提供：de - Art Center］

んど使っていないそうである。そして、驚くべきことに、使わなくなったという夏の微博には、五〇万人のフォロワーがいる。日本とは桁が違う。越後展のオープニングのトークをウェブ上でライブストリーミングしたが、それも四千人以上の視聴者があった。十年ほど前、日本でTwitterやUSTREAMのサービスが出てきたころの盛り上がりに似ているとも感じるが、そのころ、小さなアートスペースからライブストリーミングをしてもせいぜい視聴者は二桁程度であった。にわかに信じがたい数字であるが、もし本当だとしたら、勝てる気がしない。なお、ウェブサービスへのアクセス制限については、若い世代を中心に、VPNを介して、GoogleやFacebookにもアクセスしているようであった。

もう一つ興味深かったことは、政府への配慮である。展覧会をつくる過程で、政府批判と捉えられかねないことを避ける注意深さが随所に見られた。今回の越後の作品には直接的に中国政府を批判するような内容は無い。作品は、越後が長く使ってきた作業着がいずれも中国製であることから、それを中国に持ってゆき、すり切れて空いた穴をアートセンターの近くの、北京への移住者である仕立て屋に直してもらうという内容であった。アーティストである越後自身の移動、衣類という製品の移動、仕立て屋の移住、仕立て屋の息子のアメリカへの移住など、さまざまな移動がテーマとして重なり合う作品である。ここで、仕立て屋という繊維業の人が選ばれているのには二つの理由がある。一つは、日本との関係である。中国、日本、韓国という枠組みの中で、ただ、キュレーターとアーティストが日本人である以外に、作品に日本と関係する要素を入れたかった。日本の日常生活に浸透している中国製品の一つに衣類がある。金沢21世紀美術館の「TO & FRO」展とも関連するテーマであり、日本、特に私が拠点とし、越後の出身地でもある北陸と中国の関係を重ねるために、ぜひ、

「越後正志　中国制造」展会場風景
［上3点、撮影：ARTEXB、写真提供：de - Art Center］

展覧会スタッフ集合写真、的｜芸術中心前にて。後列左から4人目夏彦国、5人目高橋耕一郎（北京日本文化センター所長）、6人目著者、7人目越後正志［撮影：ARTEXB、写真提供：de - Art Center］

繊維と絡めたかった。もう一つは、北京を調査する過程で知った、北京の都市政策に関することである。北京では、地方からの移住者によって都市が過密状態にある。彼らは北京の経済活動を支えている。北京であれほど食べ物のデリバリーサービスが発達していること一つとっても、人件費の安い彼らの存在なしにはあり得ないだろう。しかし、過密が劣悪な都市環境をもたらしている面もあり、当局は状況の改善を図っている。最近話題になったのが、昨年（二〇一七）一一月に起きた大規模なアパート火災を機に、市政府が違法建築の取り壊しを行ったことである。この地域には北京に出稼ぎに来た人たちが多く住んでおり、中でも縫製業の人が多かった。このような二つの要素を背景に、縫製業に携わる人々と作品をつくりたいと考えた。そのため、この作品は、直接政府の政策を批判するものではないが、間接的に社会問題に触れるため、作品を構想する段階の話し合いで、政府批判とも取られかねない方向に向かうことを警戒する意識が夏に見られた。もちろん夏も一概にそれを否定するわけではないが、そのことがどのような事態を引き起こすかについて無知な我々に教えてくれた。それは私にとって新鮮な経験であった。

スピード感あふれる社会と、組織を辞めて自分のアートセンターを立ち上げた夏の仕事ぶりに大いに触発された。

（二〇一八年五月一五日号）

時空を超えた詩的な広がり「邱志杰　書くことに生きる」展

邱志杰(チウ・ジージエ)の個展が金沢21世紀美術館で始まった。私が邱のことを知ったのは、二〇一五年に金沢21世紀美術館で開催したグループ展「誰が世界を翻訳するのか」展であった。出品されたのは平面作品だったが、その中に含まれているさまざまな意味を読み解くところまで至らなかった。

ところが、今年(二〇一八)四月、北京のギャラリー街798エリアにある民生美術館で彼の大きな個展を見て、一気に引き込まれた。この展覧会は、明時代の風俗画「上元灯彩図」に着想を得た作品群の全貌を見せるものであった。今回の金沢の個展でもその一部を見ることができる。「上元灯彩図」は細かく描かれた街の様子を手元で見て楽しむような小さな巻物だが、邱はまず、これを壁面に掛ける大きな絵画として拡大模写している。そして、その中に現れるさまざまな道具に着目し、それを邱独特の方法で現代風にアレンジを加えて立体で制作している。からくり人形のような、動きと素朴さ、ユーモアが魅力だ。

「書くことに生きる」と題された金沢21世紀美術館の個展は、「書」が全体を貫くモチーフとなっている。その中で私が最も惹かれたのは、二つ目の展示室に集められた長江大橋に関連する作品群である。長江大橋をモチーフに描いた《チウ・ジャワへの三〇通の手紙》(二〇〇九)を中心に、写真、映像、机の上の書道、床に置かれた秤の上のノ

「邱注上元灯彩計画」展、北京民生現代美術館、2018年、展示風景
[撮影：著者、北京民生現代美術館にて]

ートの山などが展示されている。一見、バラバラであるが、よく読み解いてゆくと、いろいろなつながりが見えてくる。

一九六八年、南京の長江に巨大な橋がかけられた。上が車道、下が鉄道の二層式の橋で、この長江大橋の開通によって、北京と上海がスムーズに結びつくことになった。それまで中国はソ連の技術的指導を受けながら土木事業を行ってきたが、両国の関係悪化により、中国独自で完成させたのがこの橋である。その点で国家プロジェクトとして象徴的な意味を持っていた。ところがこの橋は自殺の名所としても知られることになった。これまで二千人以上もの自殺者がいるという。この展示室にある二点の写真は、この橋の欄干に血で書かれた文字である。上の写真は、おそらく自殺者が最後に書いたものだ。かなわぬ恋について詩のように書きつけている。一方、下の写真は、邱が書いたものである。上の写真にある文字を水をかけて拭き取り、同じ位置に、邱が自分の指をカッターで切って「マダカスカルの首都はどこだ？」と書いた。

「上元灯彩図」を拡大模写した《上元灯彩図との出会い》（部分）

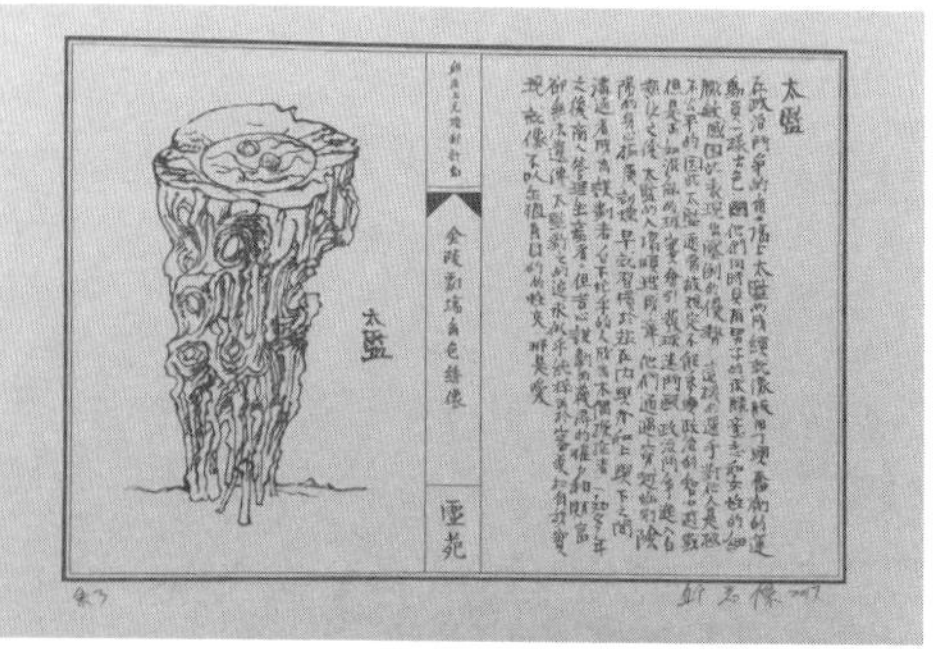

「邱志傑の解釈による上元灯彩図」より《宦官》

「邱志傑の解釈による上元灯彩図」より《宦官》
［上3点、撮影：著者、北京民生現代美術館にて］

思いつめた元の詩に対して、ばかばかしいまでに唐突な質問である。邱は、こうした質問を投げかけることで、周囲が見えなくなって自殺へと向かう人に対し、その自己陶酔的な面も否めない物語を脱臼させることで、自殺を思いとどまらせようとする。

《マダカスカルの首都はどこだ?》（二〇〇八）という同じタイトルの平面作品は、「誰が世界を翻訳するのか」展にも出品されていた。その後金沢21世紀美術館のコレクションとなったこの作品は、エンボスをかけて立体化した赤い紙が作品の支持体になっているが、赤い色とエンボスの形状は、長江大橋の両端にある三紅旗のモニュメントに由来する。橋にあるのは、布でできた旗自体ではなく、旗をかたどった立体的なモニュメントである。こうした二重性への着目に、邱らしさを感じ取ることができる。ただ、このような長江大橋に関連するいくつもの要素は、平面作品単体だと分かりにくく、二〇一五年のグループ展では実は私も捉えきれていなかった。今回の個展のように、長江大橋に関する複数の作品が組み合わさることで少しずつ読み解くことができた。

同じ展示室の中央には机が置かれ、その上に、朱色で「想一想死不得」という文字の輪郭が刷られた手本が何枚も広げられている。これは「もう一度考えよ、死んではならない」という意味で、二〇世紀前半の中国の教育家であり詩人でもあった陶行知の書である。南京の北東にある長江に突き出た崖に建てられた碑に刻まれている。この場所も、かつて自殺者が多かった。そのことを知った陶は、木の板にこの言葉を書きつけ、自殺を思いとどまらせようとしたのだという。現在の石碑は失われた木の代わりに建てられたものである。この言葉は、人の生死を左右するような真摯な呼びかけではあるが、肉親や親しい友人に向けて書かれたものではない。会ったこともない、現れるかも分からない未来の自殺者に向けて書かれたものだ。文字はそもそも、見ず知らずの人の間でも交わされうるコミュニケーションの手段だが、それが、「木片」に書かれて、あるいは「碑」として刻まれて、公共の場所に置かれることで、この側面が強調される。邱が《マダガスカルの首都はどこだ?・》の平面作品で、橋のモニュメントに着目したように、ここでも「書」をモニュメントや公共彫刻につなげて考えているように感じられる。

朱色の手本のうち一枚は途中まで黒い墨でなぞられている。陶は邱が生まれるずっと前に亡くなった、会ったこともない先人だ。言葉を使って積極的に自殺を止めようとした先人の行為を、文字をなぞることによって倣おうとしているように見える。そして、ここでもまた興味深いのは、先人の書いた文字を横において直接真似るのではなく、間に何重にもコピーが介在していることである。すなわち、元の木片の上に墨で書かれた文字、それを石碑に彫り込んで置き換えた碑、それを写し取った拓本、そこから起こした朱の木版画の版木と朱で刷ったもの、と何度もネガポジや左右を反転させながら複写されている。邱がわざわざ版木を机の上に並べておいていることや、《マダガスカルの首都はどこだ?》の平面作品のようにエディションやシリーズで展開する作品も多くつくっていることと考え合わせると、邱が複写という点で書を版画やコピーというほかの美術の技法とつなげて捉えていることが感じられる。

長江大橋のプロジェクトが、今回の企画展のテーマである「書」の中に置かれることによって、さまざまな意味を含み込んだ《もう一度考えよ、死んではならない》(二〇一八)や《マダガスカルの首都はどこだ?》といった作品の中で、文字の側面が強調されて浮かび上がっていた。そしてそれを通じて、逆に「書」というテーマの解釈も豊かになっていた。

個々の作品に関する説明はこの二つにとどめるが、展覧会では、ほかにも国境をモチーフにした観客参加型のインスタレーションや、空想的な地図と文字を重ね合わせた作品などもあった。全体として、中国、東洋の長い伝統文化に対峙しながら作品をつくっていること、社会をリサーチしてそれを表現するだけではなく、想像力を持って跳躍するものを含んでいること、そして社会に対してアクションを起こすものであることが感じられた。時空を超えた詩的な広がりのある展覧会だった。もっと広い展示空間で見てみたいとも思った。

(二〇一八年一〇月一日号)

芸術祭と美術館の創造的な関係

八月に始まる「あいちトリエンナーレ2019」(以下、「あいち」)の準備が佳境に入りつつある。毎週、何人ものアーティストが会場を訪れ、打ち合わせと予算の調整を重ねている。

「あいち」の特徴は美術館を会場としていることである。街中の会場もあるが、今回は愛知県美術館、名古屋市美術館に加え、豊田市美術館を使う。それぞれ充実したコレクションを持つ美術館である。今日、日本で芸術祭が乱立しているといわれているが、多くは県立・市立規模の美術館なしで行っている。ヨコハマトリエンナーレや福岡アジア美術トリエンナーレは美術館を会場としているが、一館のみである。多くの芸術祭が美術館のない場所で行われるのは、将来財源の減少が確実な地方自治体が、美術館という恒久的な施設とコレクションを半永久的に維持し続けるよりも、イベントとしての芸術祭を定期的に開催する方が、中止も容易で、集客や観光、まちづくりと結びつけやすく費用対効果が高いという経営的判断が働いているためであろう。その中で、三館を会場に使う「あいち」は例外的である。

しかし、一般的に美術館と芸術祭を組み合わせることは難しい。その難しさが最も鮮明に現れた事例は、新潟市美術館と二〇〇九年の「水と土の芸術祭」であろう。共に新潟市が主体となり、芸術祭と美術館の両方のディレクターを北川フラムが兼任したにもかかわらず、両者をつなげることに失敗した。市直営の新潟市美術館は、実行委員会が主催する「水と土の芸術祭」の会場となったが、芸術祭を美術館の業務であると認めなかった美術館の学芸員二名は、芸術祭の業務を命じようとした館長北川と折り合わず、芸術祭の開催前に市のほかの部局に異動することになった。芸術祭に出品された久住有生の土を使った作品からカビが発生し、北川は館長を辞任した。美術館の改革と芸術祭の立ち上げを同時に急速に進めようとした点にも無理はあったが、背景には芸術祭と美術館の性格の違いがある。

横浜の場合はどうだろうか。当初は日本における国際展の立ち上げを目指し、国際交流基金と横浜市が共同で開催していたが、二〇一〇年に国際交流基金が主催から外れて以降は、横浜市の単独主催となり、会場は横浜美術館が中心となる。横浜美術館の館長逢坂恵理子がヨコハマトリエンナーレのディレクターも兼任するという体制で、横浜美術館の学芸員もトリエンナーレには関わっている。しかし、立ち上げ当初と比べると規模の縮小は否めず、美術館の大規模な企画展と大差がなくなってしまっている。

「あいち」は実行委員会形式で、中心となっているのは県である。「あいち」と愛知県美術館は別の組織だが、第一回から三回まで「あいち」のチーフ・キュレーターを務めた拝戸雅彦が愛知県美術館に異動し、代わって愛知県美術館の学芸員が学芸担当のプロジェクト・マネージャーとして着任している。また、前回のトリエンナーレに出品されたマーク・マンダースの作品は、その後、愛知県美術館のコレクションに加えられた。

一方、市立の名古屋市美術館、豊田市美術館については、今回は「あいち」のキュレーターの一人を豊田市美術館の能勢陽子が務めており、能勢は美術館の業務として「あいち」の仕事を行っている。名古屋市美術館と豊田市美術館は、それぞれトリエンナーレと同時期に、自主企画展を行う。トリエンナーレをきっかけに来た観客が、美術館を単なるハコとしてではなく、コレクションを含めた各館の活動を知ることができるというメリットがある。豊田市美術館はあいちトリエンナーレと同時期にグスタフ・クリムトの個展を行う。確かに豊田市美術館はグスタフ・クリムトやエゴン・シーレの作品をコレクションしており、それが豊田市美術館の活動の一つであることは確かだ。だが、そこには集客の見込めない現代美術と、集客の期待できる評価の定まった西欧の作家を組み合わせるという意図も感じられる。

西欧の「優れた」美術を享受することよりも、創造や発信に力を入れるべきではないか。例えば、豊田市美術館の優れたコレクションを核として、海外の作家と日本の作家を取り混ぜながら、海外からの注目度も高い一九七〇年前後の作品を中心とするグループ展を開催することもできただろう。もし、集客が見込めず、予算的に無理ということであれば、国はそれを支援すべきだ。

国際的に見れば、冷戦の終結以降、美術館と民族や国家との結びつきが強くなっている。それ以前は、アメリカ合衆国とヨーロッパ諸国との間で激しい主導権争いはあったものの、人類共通の遺産を欧米の美術館が保管するという意識が強かった。ところが、一九九〇年代以降、イデオロギーの対立よりも民族や宗教、国のアイデンティティが重視されるようになると、芸術作品も、人類共通の遺産というより、そのアイデンティティを象徴的に示すものとして重視されるようになった。文化財の返還問題も大きくはその構図の中にある。中国のコレクターが自国の作家を中心に収集し、シンガポールが巨大なナショナル・ミュージアムをつくり、自国の美術の歴史を描こうとしていることも、非欧米諸国の国のアイデンティティの確立に美術作品が結びついていることを示している。国を超えた

シンガポール・ナショナル・ギャラリー［撮影：著者］

横断的で複雑な美術の影響関係を見ていこうとする学術的な努力もあるものの、経済的な国家間、都市間の競争に美術も従属して支えられている状況である。

そのような状況の下で、例えば韓国では、メディア・シティ・ソウル、光州ビエンナーレ、釜山ビエンナーレという三つのビエンナーレの時期を合わせることによって、海外への発信力を強めている。さらに、二〇一八年には、オープニングの時期に合わせて、メディア・シティ・ソウルの会場であるソウル市立美術館に近い国立美術館では、単色画のユン・ヒョングン（尹亨根）の個展、国際的に活躍する中堅チェ・ジョンファの個展、そして若手の公募展という韓国の三世代をバランスよく見せていた。アメリカ合衆国を中心に韓国の一九七〇年代の単色画が再評価されていることも鑑みると、海外から来るビエンナーレの観客へ韓国の作家を発信しようという意図が感じられる。

こうした効果的な発信を目論む韓国に対し、日本では、祭典推進法が二〇一八年六月に公布、施行され、今後、

韓国国立近現代美術館（MMCA）、2018年9月［撮影：著者］

国際展を海外発信につなげていこうとしている。著者は二〇一八年九月に行われた推進会議の幹事会において発言の機会が与えられたため、この韓国の事例を紹介した上で、国と各芸術祭、そして美術館を横断するグランドデザインの不在を指摘した。

「あいち」と各美術館との関係が成功しているか否かを総括することはまだできないが、方向性の異なる両者の間に創造的な関係を築くことを意識して準備に当たっている。美術館での展示においては、展示室の中だけでなく、パブリック・スペースを用いた作品を積極的に展開することを目指している。これは今回が初めてではなく、第一回目から草間彌生やオノ・ヨーコなどの作品を隣接する都市空間で展開してきた。それを継承したい。また、「あいち」の作品を通じて、愛知県美術館のコレクションを読み直すような試みができないかと考えている。

（二〇一九年二月一五日号）

指差す権力への密やかな抵抗

東京の八丁堀にあるギャラリーnca | nichido contemporary artにて、「Identity XV」展が始まった。ncaは、老舗の日動画廊のコンテンポラリーアート部門で、二〇〇三年以降、毎年外部のキュレーターが自由に企画するシリーズ「Identity」を開催している。今回は私が担当することになった。これまでの「Identity」展には、サブタイトルがついていた。例えば、「崇高のための覚書」（天野太郎、二〇一六年）、「水平線効果」（遠藤水城、二〇一八年）などである。しかし、私は「Identity」というシリーズのテーマ自体に向き合いたいと考え、今回、サブタイトルをつけなかった。また、作家の数も、これまでは多くの回が五人から九人程度だったが、今回は三人に絞り、それぞれの表現をしっかりと見せたいと考えた。

友枝望は、IKEAのコップやユニクロの下着などグローバル企業の製品をそれぞれ二つずつ並べて比較するシリーズを展示した。二つは一見まったく同じ製品だが、実は、違う国で生産されている。ブルガリア製のコップとロシア製のコップが並んでいると、後者の方がガラスの透明度が低いことが分かる。しかし、この差異は並べてみて初めて気づくことで、片方だけを使っているときにはその違いは分からない。もの同士を組み合わせ、並べることで意味を生じさせるのが友枝の一貫する制作手法である。マーケットでは、この差異は無いものとして扱われる。

しかし、誰も問題にしない差異にあえて着目することで、その差異を無化し商品として同一視するマーケットの原理が逆照射される。マーケットでは「これはブルガリア製である」というローカリティが消去されている。友枝の作品は、この消去に対する違和感を表明している。

澤田華の作品は、会場の中で唯一、音を伴う。会場に足を踏み入れると、女性の声で「これは○○です」「これは××です」と読み上げる声が聞こえてくる。音が出ているモニターには、写真がスライドショーのように映し出され、それを差す指が画面に現れる。指差して「これは○○である」と定義することは、まさにアイデンティファイする行為である。

友枝望、展示風景

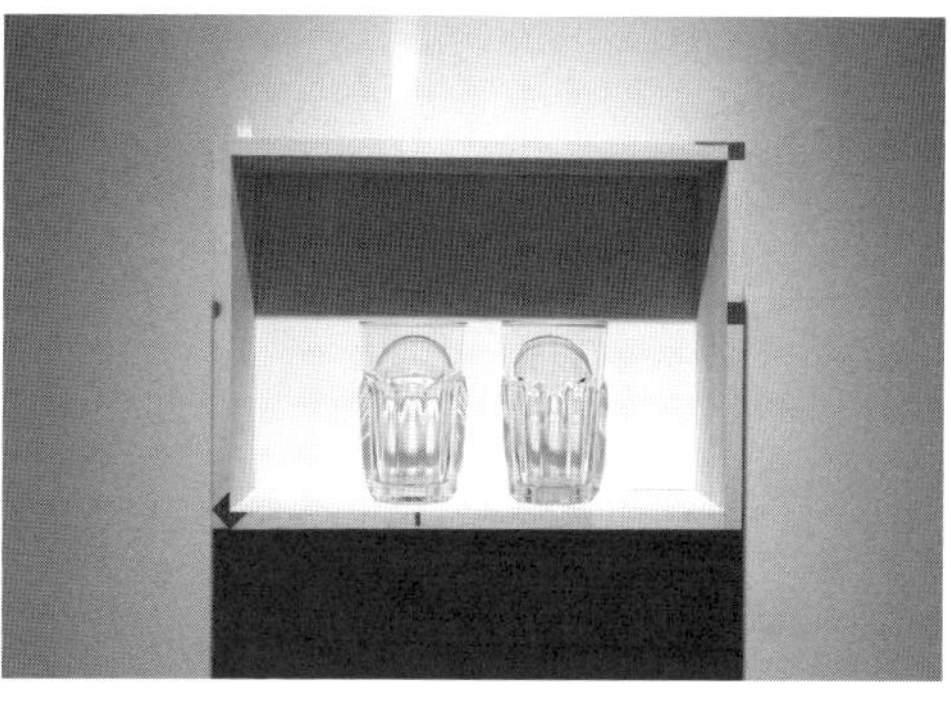
友枝望「Double Series」より《Double Glass》2009/2019年
［上2点、撮影・写真提供：友枝望］

私が幼少のころ、家の近くの河原で人を指差したのを近所のお兄さんに咎められたことはいまも印象に残っている。いまは自分の子どもに「人を指差してはいけない」

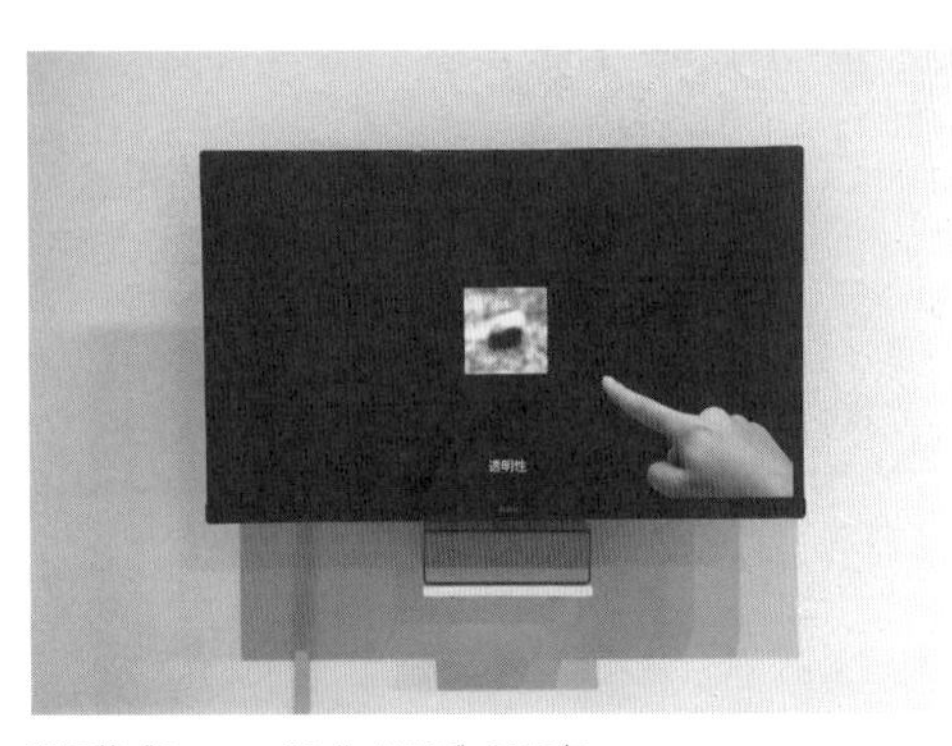

澤田華《Gesture of Rally #1705》2017年

澤田華《Gesture of Rally #1705》2017年［上2点、撮影：著者］

と教えている。なぜ人を指差してはいけないのか。「もし誰かが自分のことを指差して、友達と何かをひそひそ話していたらいやだろう」というのが子どもへのひとまずの答えである。が、指差す側と指差される側の間の非対称な関係の中で、指差す側が無自覚のまま権力を持ってしまうことが、指差してはいけない大きな理由の一つだろう。

指すことの持つ権力を最も純粋に抽出して作品化したのは、ヴィト・アコンチの《センターズ》(一九七一)である。ビデオカメラを向けるという権力に対し、作家自身が素手のパフォーマーとして、カメラの中心を指差す作品である。指差すこと、すなわちアイデンティファイすることの持つ力をシンプルに示している。

一方、澤田の作品では、指はカメラを指し返しはしない。指の先が向かうのは、写真の撮影者が気づかなかった写真の中の正体不明の物体である。澤田は、ドイツで出版された庭のデザインに関する本を古本屋で手に入れた。

その本には、庭の照明の写真も掲載されていた。装飾を削ぎ落としたシンプルなモダンデザインである。そのモノクロ写真の中に、その物体は写り込んでいる。一見すると江戸時代の箱枕の形状にも似ているその物体が一体何なのかを知るために、グーグルの画像検索にかけたり、粗いドットの写真上で輪郭線をたどったり、澤田の作品はそのことを執拗に調べることに費やされる。

撮影者が気づいていないものも、「機械の眼」であるカメラは写し取ってしまう。そして、写し取られたものは事後的に発見される。このような写真の性質を捉えた映画がミケランジェロ・アントニオーニの『欲望』(原題は『Blow-Up』「引き伸ばし」、一九六六)である。主人公が公園で撮影した写真の隅に殺人を思わせる状況が偶然写り込んでいたことから物語が展開する。澤田が手がけるこのシリーズのタイトル「Gesture of Rally」は、この映画に登場するテニスのパントマイムからつけられている。

澤田は「Gesture of Rally」のシリーズをこれまで六点制作している。本展で展示したのはその最初の作品である。最新の作品ではなく、この作品を選んだ理由は、元になった照明の写真がモノクロで、被写体がモダンデザインであることが最も明瞭であったことによる。それにより、書籍自体は一九七〇年代の発行であるにも関わらず、この写真は一九三〇年ごろに撮られたといっても不思議ではないほどのモダニズム初期の雰囲気を湛えている。モダニズムはバウハウスがそうであったように、建築とも密接に結びついた総合芸術運動であった。各地域の風土にあった建築様式ではなく、どこでも鉄とコンクリートとガラスによる箱型の建物で機能するという発想は、友枝が扱ったグローバル企業につながる考え方である。地域間の差異を無視し、均質な空間を構想するデザイン思想は、写真にもすべてを明るく照らし出す整理された背景を要求する。実際にこの写真は、平原のようなシンプルな背景となっており、モダニズムを代表する建築家であるル・コルビュジエが自ら設計した建物を撮った写真の背景を加工して消去しようとしたことを思い起こさせる。澤田が狙ったのは、そのような異物がないはずの背景の中に入り込んだ物体である。写真家が見せようとした照明ではなく、その背後にある異物を澤田が指差し、同時にその無意味さを示すことは、指差し返すアコンチの敵対的な方法とは異なる仕方で、カメラの持つ権力をずらし、無効化させる。

今日、自分の検索や購買履歴が機械によって記録され、それがビッグデータとして蓄積されて、自分の欲望を先取りして、自分が欲しいかもしれないものを提示する。これは、意識的なコミュニケーションではない部分が「機械の眼」によって記録され、意味が生み出されることを示唆する。そのような時代に生きる澤田は、より古典的な写真というメディアに戻りながら、コンピュータのビッグデータに引き継がれているはずの「機械の眼」の特質に迫る。それにより、カメラの持つ主体と客体の関係がはらむ権力を批判しつつ、返す刀で「機械の眼」の限界、無効性をも問うているようにも感じられる。澤田の作品から流れている「これは〇〇である」という意味不明な奇妙な定義は、グーグルのAIがビッグデータを参照しながら判定した言葉を読み上げているものである。

ジェームズ・ジャックは南太平洋の植物をモチーフとした二点のドローイングを展示している。ドローイングには鉛筆で余白に文字が書き込まれているが、そのうちの一点には、その植物が「unidentified」、つまり、種が特定できないことが示されている。このドローイングは、岡山県出身の植物学者、金平亮三[1]の植物スケッチを元に作家が描いたものである。ジャックは、アメリカ合衆国の生まれだが、長く東京に住み、現在はシンガポールで作品を制作している。シンガポールに移住する前の二年間、ジャックは九州大学に特別研究員として在籍した。その時に出会ったのが、同大学の前身である九州帝国大学の教授だった金平の資料であった。金平は、第二次世界大戦前、日本の南洋への進出に伴い、南洋の植物を研究した。台湾の植物の研究が有名だが、ジャワ島などの調査もしており、オランダの植民地経営に伴って一九世紀につくられた現ボゴール植物園の植物標本館館長を務めていた。ボゴール植物園の植物のほとんどは、種が特定されてキャプションがつけられている。だが一部には分類できない種の植物もある。金平の調査資料にも、種が特定できるものにはその名が書き込まれているが、中には表記がないものもある。ジャックが注目したのは、金平が名前を表記しなかったものである。つまり帝国主義的な進出に伴う博物学による分類の視線からはこぼれ落ちてしまうものであった。分類から漏れてしまったものへの共感は、移動しながら作品を制作するジャック自らのアイデンティティに対する問いに由来する。ジャックは、分類する、すなわち名付けるという行為の持つ帝国主義的な権力に対して、アイデンティティの曖昧さを対置させている。

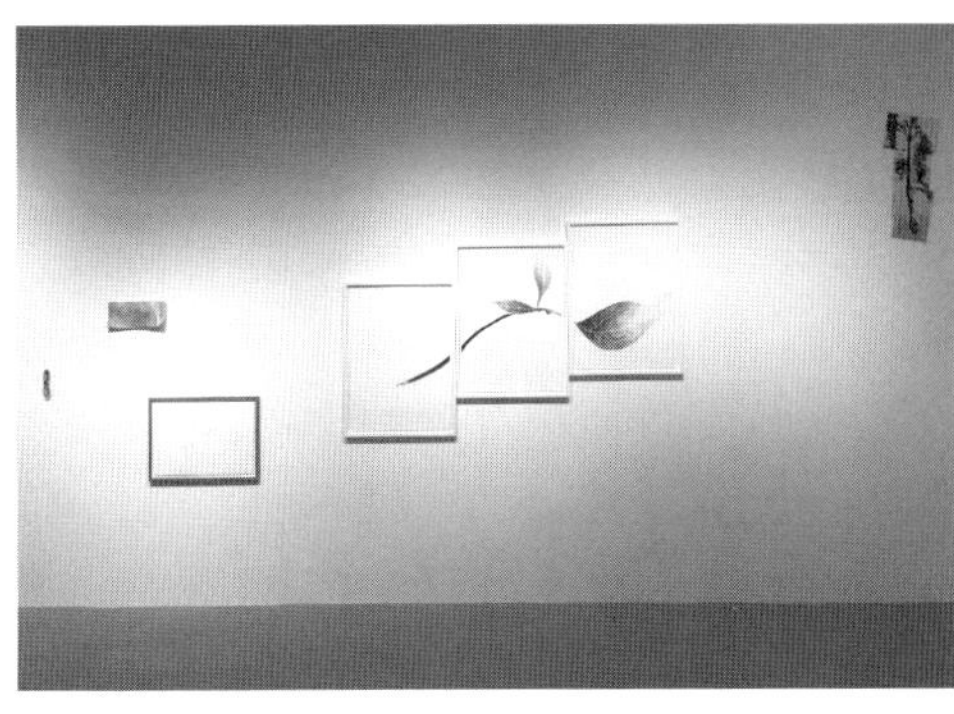

ジェームズ・ジャック《Botanical Lesson in Idleness #4》2019年

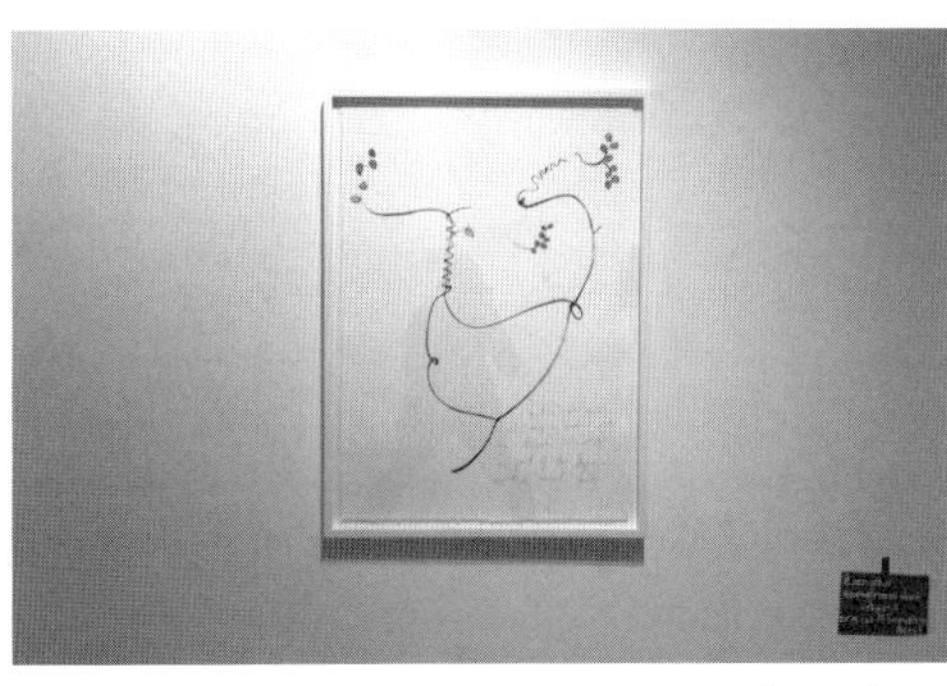

ジェームズ・ジャック《Botanical Lesson in Idleness #7》2018年
［上2点、撮影：著者］

三人の作品は、表現手段はそれぞれ異なるが、いずれも、グローバル化した情報社会において、他者をアイデンティファイする行為に対する小さな違和を大切にしようとする姿勢が共通している。アイデンティティは日本語では「自己同一性」と訳される。つまり、自分で自分のことをどのように名指すかということを意味する。しかし、自己の同一性は、外からどのように指差されるかということと常に関係しており、そこには権力が発生する。三人の作家は、その権力に対して密やかに、だが粘り強く抵抗している。

注

［1］金平亮三（かねひら・りょうぞう、一八八二―一九四八）は、有用樹木の記載分類と木材研究に従事した林学者。九州帝国大学教授を経て、ボイテンゾルグ植物園の植物標本館（現ボゴール植物園）博物館長に着任（一九四二―一九四五）。アジア太平洋地域を中心に集めた熱帯植物の標本は、九州大学総合研究博物館が「金平コレクション」として管理している。

（二〇一九年六月一五日号）

「あいちトリエンナーレ2019」最後の七日間

キュレーターを務めた「あいちトリエンナーレ2019」が閉幕した。七五日の会期のうち、六五日という長期にわたり、トリエンナーレ内の一企画である「表現の不自由展・その後」(以下、「不自由展」)を中止したことをお詫びする。まず、観客から作品を見る機会を奪った。報道を通じて展示内容を知り不快感を抱いた人にも、実際の展示を見て確かめてもらう機会すらつくれなかった。次に、作家から作品を展示する機会を奪った。そして、不自由展の企画者である表現の不自由展実行委員会が企画を発表する機会を失わせた。合意なく中止を決定したことは表現の不自由展実行委員会の信頼を著しく損ねた。さらに、トリエンナーレ実行委員会が不自由展を中止したことで、トリエンナーレのほかの出品作家に、自らの表現に対しても制限を加えられる危機感を直接的に感じさせた。社会に対しても、美術機関としての信頼性を損ねた。

中止の原因は、決して行政が不自由展の内容を問題視したことではなく、脅迫と大量の抗議電話であった。十分に想定できておらず、準備が不足していた。そのため、中止後、安全確保の方法と抗議電話への対応方法について事務局で検討が重ねられた。九月二五日、あいちトリエンナーレのあり方検証委員会の中間報告を受け、あいちトリエンナーレ実行委員会は再開を目指す方針を示し、表現の不自由展実行委員会との交渉を経て、一〇月八日に再開した。

私は再開後、毎日、ほかのキュレーターと共に、あるいは交代で、監視員として不自由展の展示室に立った。ほかの展示室の監視員は外部の会社に委託しているが、不自由展の展示室に限っては、スタッフの安全上の理由で受けてもらえなかったためである。以下では、再開後の展示室内の状況について、自らの体験をもとに記したい。

再開後の公開方法は以下のとおりであった。

(一) 中止前の展示内容と同一性を保つ。ただし、入り口すぐの通路に設置したモニターで展示していた大浦信行の約二〇分の短編映像作品《遠近を抱えて Part II》の上映方法を変えた。一部のシーンが切り取られSNS等を通じて拡散したことを受け、全編見てもらえるよう奥の広い展示空間に移動式のモニターを出し、床に座布団を用意して、各鑑賞時間の後半二〇分で上映した。後述するディスカッション付きの回のみは、プロジェクターで壁面に投影し、より大きな画面で集中して鑑賞してもらえるようにした。

(二) 入場は各回四〇分の入れ替え制とし抽選とした。一〇月八日は各回三〇人とし、一〇月九日から一一日は各回三五人、以降は四〇人と安全性を確かめながら徐々に増やしていった。一〇月八日のみ二回、一〇月九日以降は一日に六回公開した。夜間開館を行う金曜日は七回とした。抽選は、当選券を他人に譲渡できないようにするため、リストバンドを用いた。

(三) 一〇月八日のみ写真撮影を全面禁止とした。一〇月九日より写真撮影は可能だが、会期中はSNSへの投稿を禁止とした。また、ほかの観客やスタッフの顔を撮らないようにお願いした。

(四) 大浦信行《遠近を抱えて Part II》のみ、作家の意向により撮影禁止とした。

（五）ラーニング・プログラムを追加した。各回の入場前に、パネルを用いて表現の自由に関するガイダンスを行った。準備段階ではガイドツアーという案も一時あったが、前半二〇分は自由鑑賞とし、後半二〇分は大浦の映像作品の鑑賞とした。また、毎日一回、二〇分の「ディスカッション」付きの回を設けた。私もそのファシリテーターを務めた。四人ずつのグループをつくり、それぞれが、実際に展示を見てどのように感じたかを一言、一分程度で話してもらうようにした。一〇分を目安にグループ替えをする想定だったが、進行の不手際で時間が足りず、グループ替えができなかった回もあった。相手を説き伏せたり、グループで意見をまとめることはせず、ただ、ほかの人の感想を聞くことを目的にしてもらった。

（六）報道機関の展示室内への立ち入りを制限した。展示室内への立ち入りは認めず、展示室の外の廊下から取材してもらった。一〇月一一日のディスカッション付きの会に県政記者クラブの代表カメラを動画一台、静止画一台を入れて取材してもらった。また、閉場時間中に二回、カメラを持たずにプレス向けに鑑賞していただく時間を設けた。会期が終了した一〇月一四日の閉場後に初めて、カメラを入れての取材を認めた。

（七）展示室に作家が訪れた時は、作家の了承が得られた場合には紹介し、一言挨拶をしてもらった。一〇月八日にパフォーマンスを行ったマネキンフラッシュモブを始め、大浦信行、大橋藍、キム・ソギョン、白川昌生、中垣克久、永幡幸司、藤江民などを紹介した。

台風の影響により、一〇月一二日は終日トリエンナーレ全体を閉場したが、それ以外の日は最終日までこの方法で不自由展を開くことができた。安全対策が一定の成果を上げたと評価できるだろう。

まず、入場に関しては抽選がうまく機能した。抽選は一人に一つの番号が割り振られているため、グループでトリエンナーレを訪れた人も一緒に当選する可能性は低く、多くの人は、グループから離れて一人で不自由展を鑑賞することになった。通常、二人以上のグループで美術館を訪れ、作品を見ながら話をすることは、自分が気づかなかった視点に気づくこともあり、良い効果も多い。しかし、今回の不自由展の場合、報道やSNSを通じて、あらかじめ展示についてなんらかの意見を持って見にくる人が多いと想定できた。その場合、知り合いや仲間同士で話しながら見ると、作品に向き合うよりも先に、その意見が増幅されてしまうことがある。例えば、知り合い同士で来場された方の会話を聞いていたところ、彼らは展示再開に賛成する意見だったが、「なぜこの程度のものが見せられなくなるのか」という意見が会話を通じて、より強められているように感じられた。また、展示を妨害しようとする人が当選した場合も、一人では行動を起こしにくいように見受けられた。決して通常の展示室内と同様ではなく、緊張感のある展示室内ではあったが、大きな声を上げる人や暴れる人はなく、それぞれが作品と向き合っていた。

撮影を禁止した一〇月八日は、二〇分の自由鑑賞時間は適切だったが、撮影を解禁した一〇月九日以降、ほとんどの人がすべての作品を写真に収めており、「鑑賞時間が短すぎる」というご意見を多くいただいた。しかし、少しでも多くの方に見ていただくために、一回の鑑賞時間は変えなかった。大浦の映像作品は、ほとんどの方が、途中で離脱してほかの作品を見たりすることなく、最後まで見ていた。そのため、最初は展示室を明るくしたまま上映していたが、暗いシーンも多いため、途中から部屋を暗くして上映するようにした。

「ディスカッション」の時間も落ち着いて話ができていたように感じた。私は全体の進行をしていたため、個別のグループにはあまり入れなかったが、私の聞けた範囲だと近くに住む人、遠くから来た人、美術の好きな人、報道を見て来た人などさまざまで、それぞれの感想を述べていた。韓国からの留学生が入っていた回もあったが、冷静に話せていた。

報道機関の展示室への立ち入りを禁じたことも、鑑賞者が落ち着いて作品と向き合うことに貢献した。カメラがあるとどうしても気になってしまうし、過剰になってしまう。中には、四〇分の鑑賞時間のうち、五分ほどで「なぜこんなものが芸術なのか」と吐き捨てるように言いながら展示室を出て行く人もいたが、展示室の外で待ち構えている報道陣へのアピールの意味合いもあるようだった。報道の自由を重視する表現の不自由展実行委員会からは、報道機関による撮影を認めないことについて厳しく追及されたが、私は、鑑賞者が作品と向き合う環境を整えることが最優先だと考えた。

作家の挨拶は、特に話してほしい内容は言わず、自由に話してもらった。人によって内容はさまざまだったが、展示できないことが不当であることを訴える作家も多かった。これを止めはしなかったものの、私は、なぜその作品をつくったのかについての発言がもっと欲しかった。そのことを話せるのは作家だけであり、また、せっかく作品を前にしていたからである。この点については、作家の発言を規制することを過度に怖れ、遠慮しすぎたかもしれない。鑑賞時間終了後、直接作家に質問する来場者などもいた。

もちろん、このような安全性を重視した特殊な公開方法に課題が無かったわけではない。まず、多くの見たい人に対して、人数が非常に限定された。抽選の倍率は回によって異なるが、平均十倍以上であった。また、抽選に当たって入場した人も、誓約書へのサインや金属探知機によるチェックがあった。そのことによって、安心して作品を見ることができた面もあるが、ボディチェックを受けるのは信頼されていないようで、気持ちのよいものではない。

さらに、ＳＮＳの投稿禁止は、鑑賞者が自由に発信することを制限するものである。これらの点については、表現の不自由展実行委員会や、一部の出品作家から厳しく批判を受けた。

また、運営には大きな人的コストがかかっている。展示室内には、各回、数人の表現の不自由展実行委員会側のスタッフと、監視員や上映スタッフとしてトリエンナーレ実行委員会のスタッフが二、三人ついた。抽選から誘導、荷物預かりにも二〇人以上のスタッフを要した。警備対応のため、県庁から各会場にのべ約二六〇人が派遣された。うち一七〇人が不自由展の会場である愛知芸術文化センターに配属された。県警の協力も受けた。要注意人物の場合、展示室内にも私服警官が同行した。

再開にあたり、私が担ったのは全体のごく一部である。ほかにも、抗議電話対応、警備対応、メディア対応なども重要な要素である。それぞれの部署で取った実務的な対応と反省点が共有され、今後、公立の美術館等で、政治的テーマを扱う作品の展示にあたり、今回の経験を各館の学芸員が生かしてくれることを願う。

トリエンナーレの作家の一人であるアイシェ・エルクメンは、私へのメールで「静かに（silently）再開することを願う」と書いてくれた。多様な表現が当たり前に展示され、作品を実際に見て受け止め、それに対して自由に意見を交換できるような場に美術館がなっていけるよう、常に努力を続けてゆきたい。

（二〇一九年一一月一日号）

金沢から十和田へ

四月より小池一子の後任として、十和田市現代美術館の館長を務めることになった。

私が初めて十和田市現代美術館を訪れたのは二〇〇八年五月、開館直後のころである。二〇〇四年に開館した金沢21世紀美術館のコンセプトを、よりラディカルに推し進めた実験的な美術館として注目していた。

金沢21世紀美術館の開館にあたって私は、レアンドロ・エルリッヒの《スイミング・プール》(二〇〇四)やジェームズ・タレルの《ブルー・プラネット・スカイ》(二〇〇四)など、建物と一体化した建築的なスケールのコミッションワークを担当していた。十和田市現代美術館は、そのコミッションワークの部分を大きく拡張した美術館と言うことができる。

金沢21世紀美術館を含め、通常の美術館には収蔵庫があるが、十和田市現代美術館には無い。コレクションは常設で、展示空間と一体化してつくられているため、作品の入れ替えや貸し出しがない。作品を見るためには、はるばる十和田まで足を運ぶしかない。

サイズやプロポーションの異なる展示室が分散している点で二つの美術館は共通しているが、金沢21世紀美術館には、全体を統合する円形の平屋の屋根がある。一方、十和田市現代美術館は、そのような役割を持つ屋根がなく、細い廊下で展示室の間がつながれている。その分、展示室がより直接的に、街に晒されている。

十和田市現代美術館外観［撮影：Alex Queen | Michael Warren、写真提供：十和田市現代美術館］

さらに、十和田市現代美術館の展示室は、壁に大きな窓があり、道路からも展示室の中が見える。金沢21世紀美術館でも、大きな窓を展示室に造作するアイディアがあった。だが、展示壁が少なくなることや室内の光環境の理由から実現できず、一部の展示室に小さな窓を設けるという縮小したかたちで残った。金沢21世紀美術館で実現しきれなかった実験が、十和田で展開されているように感じられた。

両館の開館当時、ホワイト・キューブでない場所での展示の可能性が広がっていた。例えば、一九九五年にはワタリウム美術館が主催して東京の青山の都市空間を会場とした「水の波紋」展が、ヤン・フートのキュレーションで行われた。二〇〇〇年代に入ると「大地の芸術祭」など過疎地での芸術祭が始まり、廃校や民家などが会場として使われることも普通になった。

金沢21世紀美術館ではホワイト・キューブの展示室を用意したが、廊下や無料ゾーン、外の広場や街中も、美術

十和田市現代美術館外観（展示室内にスゥ・ドーホー《コーズ・アンド・エフェクト》が見える）［写真提供：十和田市現代美術館］

の場として想定していた。美術館のトイレにはピピロッティ・リストの作品を設置し、街中を会場とする展覧会「金沢アートプラットホーム2008」も企画した。

十和田市現代美術館は、設計当初から企画展示室の面積を小さくし、街が美術館であるという姿勢を、金沢21世紀美術館よりも明確に示していた。開館二年後には、道路を挟んで美術館の反対側に、草間彌生の作品などを展示する屋外展示場「アート広場」が完成し、通り全体を美術館に見立てるArts Towada計画がグランドオープンした。チェ・ジョンファやマイケル・リンなどの個展では、美術館内の展示室と共に市内の店舗でも積極的に展示が行われた。

今日、中央商店街の松本茶舗を訪ねると、店内にはお茶や日用雑貨などの商品に混じって、これまでに関わった展覧会に際して制作された現代美術作品が残されている。店の商品を素材としてつくられた毛利悠子の作品の前を通り抜け、梯子で地下に降りていくと、栗林隆の作品が現れる。地下に水が溜まったときに、日本列島の形が浮かび上がる作品で、かつて水漏れがあったという地下室に合わせたサイトスペシフィックなインスタレーションである。

一方、同じ通り沿いには、アメリカ合衆国出身のアレックス・クイーンとマイケル・ウォーレンが運営するイベント・交流スペース「14-54」がある。十和田市現代美術館も、このスペースにライブラリーを持っている。片や百年

松本茶舗外観

松本茶舗地下の栗林隆作品（手前）と藤浩志作品（奥）
［上２点、撮影：著者］

以上続くローカルな店、片やインターナショナルな移住によって生まれたスペース。この振幅の広さに、これまで十和田市現代美術館がまちで続けてきた活動の積み重ねが感じられる。

二月から拠点を十和田に移したことにより、こうした目に見える関係だけではなく、金沢にいた時には気づき得なかった、まちとの関係も見えるようになった。例えば、ある保育園の園長先生は、かつて住んでいた一軒家をレジデンス施設として美術館に無償で提供してくださっている。アーティストやスタッフは、このレジデンスに滞在し、設営などを行っている。二月に開催された保育園・幼稚園の先生方が美術館に集まって行う合同研修会にも、同じ保育園から多数参加してくださっていた。さらに、この研修会の開催にご尽力くださった別の元園長先生も、個人として来年度の展覧会の街中会場を提供してくださる。こうした関係性も十年以上にわたる美術館の活動を通じて築かれてきたものだろう。

現代美術館は同時代の作品を対象とするにもかかわらず、常設のコレクションは時間の経過と共に同時代から離れていってしまう。来年度は、開館以来初めて、新たに作品を追加することも視野に入れ、コレクションの拡充に努めたい。

イベント・交流スペース「14-54」

14-54内　十和田市現代美術館ライブラリースペース
［上２点、撮影・写真提供：Alex Queen］

四月から、Arts Towada グランドオープン十周年を記念した企画展「インター＋プレイ」を開催する。街も美術館であるという Arts Towada の理念を大切にし、美術館の展示室内だけでなく、美術館前の広場には鈴木康広の、そして、街中の建物には目［mé］の作品を展開する。来年には、藤本壮介設計の地域交流センター（仮称）が、美術館のある官庁街通りと中央商店街との交差点に開館予定であり、美術と街の関係がより強化される契機となるだろう。

また、青森県という地域に視野を広げれば、四月には、弘前に田根剛設計による弘前れんが倉庫美術館が開館し、来年には八戸市新美術館も開館予定である。青森県立美術館や青森公立大学国際芸術センター青森（ACAC）とも連携し、海外を含む遠方からも訪ねてもらえるようにしていきたい。

（二〇二〇年三月一日号）

あとがき

ここに収めた文章は、二〇〇七年から二〇二〇年までウェブマガジン『artscape』に、「学芸員レポート」と、それを引き継ぐ「キュレーターズノート」として連載したものである。図版は最小限に絞った。現時点では、すべてウェブサイトに掲載されているため、適宜ご参照いただきたい。ウェブサイト上で見やすいように入れていた見出しは省略した。その他、多少の表記上の改変を加えたほかは大きな変更は加えていない。

『artscape』を運営するDNP大日本印刷株式会社、連載を長く担当してくださった斎藤歩氏、本書の出版にあたり仲介の労をとってくださった福田幹氏をはじめとするメディア・デザイン研究所の編集者の皆様に、まずはお礼を申し上げたい。

そして、美学出版の黒田結花氏のご尽力なくして本書は出版できなかった。全体の編集と図版の手配でも多大なお力添えをいただいた。また、図版の掲載にあたり、各作家、写真家、管理する機関にご協力いただいた。特に金沢21世紀美術館からは多くの写真をお借りした。本のデザインを画家で装丁家の右澤康之氏にご担当いただいた。感謝の念に堪えない。

多くの人に支えていただきながら、これからもキュレーターとしての思考を重ねていきたい。

二〇二〇年一一月

鷲田めるろ

著者略歴

鷲田めるろ（わしだ めるろ）

十和田市現代美術館館長

一九七三年京都市生まれ、十和田市在住。東京大学大学院修士（文学）修了。金沢21世紀美術館キュレーター（一九九九―二〇一八年）を経て現職。第五七回ヴェネチア・ビエンナーレ国際美術展日本館キュレーター（二〇一七年）。あいちトリエンナーレ2019キュレーター。金沢美術工芸大学客員教授。主な論文に「アートプロジェクトの政治学――「参加」とファシズム」（川口幸也編『展示の政治学』水声社、二〇〇九年）、「鶴来現代美術祭における地域と伝統」（『アール 金沢21世紀美術館研究紀要』五号、二〇一六年）、「顕彰か検証か――「表現の不自由展・その後」をめぐって」（川口幸也編『ミュージアムの憂鬱』水声社、二〇二〇年）など。

キュレーターズノート 二〇〇七―二〇二〇

二〇二〇年 一二月一〇日 初版第一刷発行

著　者――鷲田めるろ

発 行 所――美学出版合同会社
〒一一三―〇〇三三 東京都文京区本郷二―一六―一〇 ヒルトップ壱岐坂七〇一
電話 〇三(五九三七)五四六六 www.bigaku-shuppan.jp

装　幀――右澤康之

印刷・製本――創栄図書印刷株式会社

ISBN978-4-902078-61-9 C0070

＊乱丁本・落丁本はお取替いたします。 ＊定価はカバーに表示してあります。